べにや長谷川商店の

豆料理

PARCO出版

日本の豆について

その国々で特産とする豆があり、
日本を含むアジアは大豆圏。
大豆を丸ごと食べる習慣があるのはアジア特有で、
テンペ、納豆、味噌、醤油など大豆の発酵食品が
たくさん生まれた背景はここにあります。
ただ、豆に砂糖を加えて食べるのは日本だけで、
砂糖は高価で庶民の口には入りにくかったため
煮豆や餡などは明治以降
定着した料理と考えられています。

はじめに

お豆料理って手間がかかって難しそう、一晩水に浸すのは面倒だわ、それにどうやったらふっくらきれいに煮えるの？　などなど、とても敷居の高いやっかいな存在と思っていませんか？

そう思っているかた、まずはお豆を煮てみましょう。浸さないで煮る方法もあります。煮崩れしたらマッシュやペーストにしてコロッケやスープに使えばよいのです。なにもきれいにふっくら煮るだけがお豆料理ではありません。

本書はこうしたお豆料理の先入観を払拭してくれ、お豆となじみのない初心者のかたにも手軽に気負わずトライしていただける、100％お豆料理の本です。

しかもここで使うお豆はすべて北海道産。その中には「在来種」という、きっとほとんどのかたは見たことも聞いたこともないであろう地豆が登場します。これは農家が自家用に毎年自分たちで種を大事にとって長年つくり続けてきた豆のことをいうのですが、とてもおいしいお豆にもかかわらず今ではつくり手が減り、たいへん希少な豆となっています。

ぜひ、この本でお豆のことを知り、お豆料理のレパートリーをぐんと広げてください。きっと新しいお豆料理と出会えるはずです。

べにや長谷川商店
長谷川清美

べにや長谷川商店の 豆料理

目次

豆の甘味とおやつ

この本の使い方

本書で使う豆について

豆は植物分類学でいうマメ科に属する穀物です。本書で使用している豆はマメ科の中のササゲ属、インゲン属、ダイズ属の乾燥豆です。ササゲ属はさらにあずき種とささげ種に分かれ、インゲン属はいんげんまめ種、べにはないんげん種に分かれます（ダイズ属はだいず種のみ）。

本書のレシピで使う豆は、分類的に同じ種で同じくらいの大きさであれば、茹で時間にそれほど大きな差がないので代用が可能です。だいず種であれば大豆のかわりに青大豆、いんげんまめ種であれば貝豆のかわりに虎豆、前川金時のかわりに一般の金時豆など。

またこれらをいっしょに茹でてもOKですが、その際の注意点は茹でたときの煮汁の色と茹で時間。豆の色が落ちやすいものと比較的残るものがあるので、白っぽい豆、たとえば虎豆、パンダ豆と色の濃い前川金時やうずら豆などをいっしょに茹でると虎豆は着色してしまいます。

また茹で時間は同じくらいとはいっても、まったく同じにはなりません。カレー、シチューなど崩れたり、着色してもかまわない料理に使うのがよいでしょう。

ただし、ササゲ属の小豆とささげはご飯やお赤飯に入れるときは互いに代用できますが、一般にささげは餡には向きません。

分類表

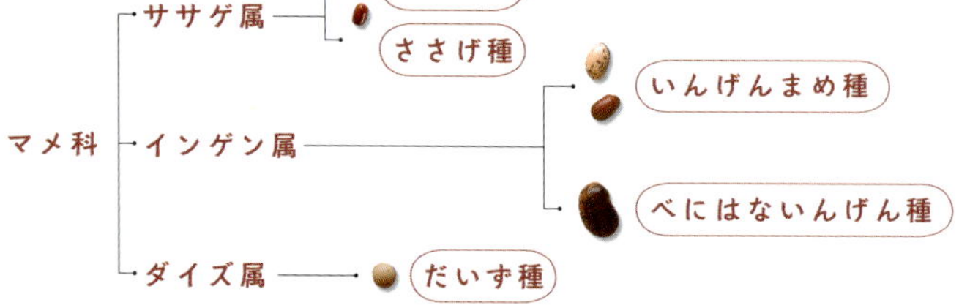

※各レシピの左右端に使用している豆の種マークを入れました。
　同じ豆が手に入らない場合には同じ種の中のほかの豆で代用ができます。

砂糖について

本書ではてんさい糖を使っています。精製した白い砂糖でも代用できますが、てんさい糖よりもややあっさりした仕上がりになります。白いお豆を白く煮たいときは上白糖やグラニュー糖、氷砂糖などを使うとよいでしょう。

炒めるときの塩

特にレシピには書いていませんが、種類の違う野菜を炒めていくとき、その都度塩をひとつまみからふたつまみ加えます。また煮上がった豆に塩を少々ふっておきます。これは食材の旨みや甘みを引き出すためと軽く下味をつけるための塩です。こうすると引き締まったメリハリのある味に仕上がります。
また人それぞれ体調や好みの塩加減があるので、塩の量は調整して入れてください。塩の種類ですが、にがり成分を含んだ塩をおすすめします。

野菜は丸ごと

皮やへたにも栄養が含まれているので、野菜は皮をむかず丸ごと使っています（じゃがいも、玉ねぎを除く）。生命そのものを丸ごといただくために、なるべく農薬、化学肥料を使っていないものを選ぶのがよいでしょう。

本書で使用しているカップは１カップ200ml、
計量スプーンは大さじ 15ml、小さじ 5ml です。

レシピの分量は明記してあるもの以外はすべて２人分です。

豆図鑑

豆料理をつくる前に、
本書で使用する豆の種類や特徴を紹介します。
こんなにたくさんの豆の種類が
あるって知っていましたか？
国産の豆だけでも
まだまだたくさんの種類がありますが、
本書では、一般に手に入りやすい豆と、
北海道でとれる
在来種の豆を使用しています。

育成品種の豆 …………… 小豆、うずら豆、虎豆、黒豆、大豆

在来種の豆 ………………………

在来種ってなに？

この本に登場してくる豆の中には、みなさんが今まで見たことも聞いたこともない珍しい豆があります。在来種または固定種の豆といって、農家が自家用に数十年にもわたって代々つくってきた豆のことをいいます。その家の姑から、あるいは近所のおかんから「この豆はおいしいよ」といって譲り受け、毎年種をとって育て、その地域の食と密接につながっていました。ほとんどがおそらく北海道に入植してきた人たちが出身地から持ってきた豆で、さらに遡れば海外から渡ってきたものです。はじめは北国の土地になじまず、実にならなかったり病気でやられたりした年もあったはずです。そうした長い歳月を経て、その土地の気候や風土に適応しようと豆自身が変容して、ようやくその土地の豆になりました。一般には地豆とも呼ばれている在来種の豆はなによりおいしく、味、色、かたちどれをとっても個性的でひときわ目立つ存在感と、自然淘汰の過程を経て生き残ってきたたくましさに満ち満ちています。味のよさとは裏腹に収穫に手間がかかるなどの理由で、今ではつくり手が減り希少品種となってしまいました。と同時に地方のベテラン農家や小さな種苗会社が長年培ってきた品種の育て方や種とりの技術も衰退の一途をたどっています。

この在来種に対し、育成品種（研究機関での呼び方）といってある特性（収量がある、寒さに強い、粒が大きいなど）をもたせるために、人の手によってその特性をもった品種を掛け合わせて品種改良してできた豆があります。一般に出回っている豆の大半はこの育成品種です。例を挙げましょう。北海道産の小豆の中で有名なエリモショウズは、寒さに強く、収量が多く、高品質な特性をもつように品種改良された豆です。1981年にこのエリモショウズが生まれてから冷害で大きな損害を受けることも減り、農家の安定収入につながっています。また和菓子、製餡メーカーなど使う側にとっても天候にあまり左右されず品質のよいものが安定して手に入ることから高い支持を得ています。このようにわたしたちが普段食べている国産品は品種改良された作物に支えられているのです。日本の在来種と育成品種、それぞれのよさと特徴を理解して、もっともっと豆に親しんでほしいです。

あずき種 ささげ種

ササゲ属はあずきとささげに分類されます。ささげは「大角豆」といわれているように端がやや角ばっていて、芽に一部黒いところがあるのが特徴です。あずきはさらに大納言とあずきに分けられます。大納言は粒があずきより大きいほか、煮ても皮が破れにくいという点が特徴です。大納言より粒が小さい「中納言」「少納言」という品種もあり、一部の地域で栽培されています。

黒小豆《くろしょうず》

小豆とはまた違う風味と濃い味が特徴です。地元の農家では、餡や羊羹にして食べる習慣があったようです。むかしはもやしにしていたともいわれています。形状がとても似ていますが、花が紫色の沖縄産「黒小豆」はささげ種に分類されます。

白小豆《しろしょうず》

北海道の「きたほたる」は岡山県の「備中白小豆」とともに希少品種となっています。独特のあっさりした深みのある味で白餡の材料として和菓子に使われています。白小豆 100%の餡は最高級品です。

十六《じゅうろく》ささげ

一さやに 16 粒の実が入ることからこの名前がつきました。小豆との違いは芽に一部黒いところがあることです。夏、さやごと茹でておひたしにしたり、お煮しめにして、残ったものを乾燥させて保存食として食べていました。十六ささげのお赤飯は豆のおいしさのみならず上品な色に仕上がるので地元では人気です。深みのある味。

小豆

ササゲ属あずき種。北海道産の品種には「エリモショウズ」「きたのおとめ」「しゅまり」などがあります。豆には米や麦に少ないたんぱく質を構成するアミノ酸の組成成分が含まれているので、おはぎや小豆がゆ、お赤飯はたんぱく質を合理的に摂取できる料理です。腎臓の働きを助ける作用があるのでむくみが気になるときは、塩少々で味付けした茹で小豆を食べるとよいといわれています。ほかの豆では代用できない小豆の風味とコクは絶品です。

べにはないんげん種

インゲン属はいんげんまめ種とべにはないんげん種に分けられます。べにはないんげんは花豆ともいわれ、紫花豆と白花豆に分けられます。べにはないんげんはいんげんまめよりも大きいのが特徴です。

中生白花豆《ちゅうせいしろはなまめ》

在来種の中生白花豆は現在一般に出回っている「大白花豆」よりもやや小振りですが、皮がやわらかく豆の風味がしっかりしているのが特徴で、栗のようにホクホクしています。肉料理との相性もよく、つぶしてコロッケ、かために茹でてサラダに。白花豆のコロッケは地元では人気商品です。あっさり味。

紫花豆

北海道北見地方は全国一の花豆の産地として知られ、紫花豆はきれいな赤い花が咲くので「赤花」ともいわれています。関東の紫花豆に比べ、小振りですが、ホックリして皮がやわらかく煮崩れしにくいのが特徴です。紫花豆の甘煮はむかしから人気です。粒の大きさやホクホクした食感を活かしてケーキや蒸しパン、ご飯、煮込み料理などバリエーション豊富に使える豆です。

いんげんまめ種

いんげんまめにはさらに金時豆、手亡、うずら豆、虎豆、大福豆などがあり、北海道に数多く存在する在来種の豆のほとんどがこのいんげんまめに属します。在来種の豆にいんげんまめが多いのは、夏場さや豆として食べるのが主だったからです。

さくら豆

北海道の南、厚沢部《あっさべ》町の農家が代々つくっていた在来種。入植のとき東北地方から持ってきたものだろうといわれていますが詳細は不明。大豆の形状をしていますがいんげんの仲間。早く煮えておいしい豆です。茹でてそのまま、煮豆のほか、スウィーツのトッピングや餡にしてもおいしい。割合あっさり味。

うずら豆

うずらの卵の模様に似ていることからこの名前がつきました。「福《ふく》粒《りゅう》中《ちゅう》長《なが》」「福うずら」などがあります。むかしから煮豆や甘納豆の豆として知られています。でんぷん質が豊富なのでホクホクしており、ピラフなどのご飯に入れたり、炒め物、サラダ、和え物、スウィーツに利用できます。

ビルマ豆

むかし小豆が不作だった年、小豆のかわりに餡の材料に使われたといわれています。比較的収量もあり、ご飯といっしょに炊くビルマ豆ご飯は北海道の郷土食です。煮ても色が落ちないうえ、煮汁もあまりにごらないので、ご飯のほか煮込み料理、スープ、スパゲッティなどいろいろな料理に広く使えます。あっさり味。

茶色いんげん

薄いココア色のナッツのようなかたちをした豆で、来歴は不明。おもに若さやで食べ、残ったものは乾燥させてご飯に入れて炊くとおいしいです。非常に皮がやわらかく地元でも人気の豆です。あっさりしてクリーミーな味。

さやでも食べるいんげんまめ

…………夏場、若さやでさやごと茹でて
お煮しめやおひたし、天ぷらにして食べます。

天ぷら豆

若さやを天ぷらにするととてもおいしいことからこの名前がつきました。このようにいんげん類は若さやのとき、湯がくとおいしい豆、天ぷらにするとおいしい豆など、それぞれおいしさを引き出す調理法があるようです。

紅しぼり

赤と白の模様がめでたいイメージなので、むかしからお祝いごとのとき、煮豆にして食べられていました。あっさりした味なので他の食材とも合わせやすい。茹でてそのままでも、サラダ、スープ、ピクルスなどにしてもおいしい。

黒いんげん

深みのある真っ黒な色が特徴。豆の芽の付近にえくぼのような点が２つあります。大豆の点形裂破と似ていることから、作況によってえくぼができるのではないかと考えられます。煮るとおいしい豆として自家用でつくられています。豆、煮汁ともに濃い味が特徴です。

いんげんまめ種

パンダ豆

黒い斑紋があることからパンダ豆と呼ばれています。茹で上がりは、ホクホクしているので塩をふるだけでもおいしい。若いうちは、さやも食べられます。長寿の女性が常食している食べ物としてテレビで取り上げられてから知られるようになりました。黒い斑紋が残るので、模様をアクセントにした粒のまま使う料理におすすめ。あっさり味。

貝豆

貝殻の斑紋に似ているので「貝殻豆」とも呼ばれています。農家では若さやのとき、さやごと茹でてお煮しめ、酢味噌和えなどにして食べていました。餡にするとあっさりしてクリーミーなのが特徴です。ペーストにしてオリーブオイルとにんにく、塩、コショーで味付けし、ディップにすると野菜やパンの付け合わせにもなります。

緑貝豆

貝豆の一種で斑紋があざやかな黄緑色。北海道の留萌《るもい》地方の道の駅で売られていたのでその地方の在来種でしょう。いんげん類なので、若さやで食べられます。あっさりしてクリーミーな味。

栗いんげん

実が若いうちはさやごと茹でて食べられます。さやも食べられる豆は乾燥したものもおいしいといわれています。クリーミーでコクのある使いやすい豆なので、煮崩して豆のコクを利用したミネストローネや、ポタージュ、ディップ、コロッケなどペーストやマッシュにして利用するとよいでしょう。

おかめ豆

「どじょういんげん」と呼ぶ地域もあります。おもに夏、若さやのときに野菜として茹でて食べ、残った豆を乾燥させて保存食としていました。貝豆や栗いんげんと同じような斑紋がありますが平たい形状が特徴です。ややコクあり。

虎豆

北海道産の虎豆は、豆の王様といわれています。皮がたいへんやわらかく、煮豆にして食べるととろけるような食感が特徴。茹でてそのまま塩をふって食べたりマッシュやペーストにしてポタージュ、パスタソース、ディップの材料にしてもおいしい。

マンズナル

東北地方の在来種「マンズナル」は秋田弁で「とてもたくさんとれる」という意味からこの名前がついたように、収量のある豆。さやごとでも食べられ、スープ、ディップに向いています。あっさり味。

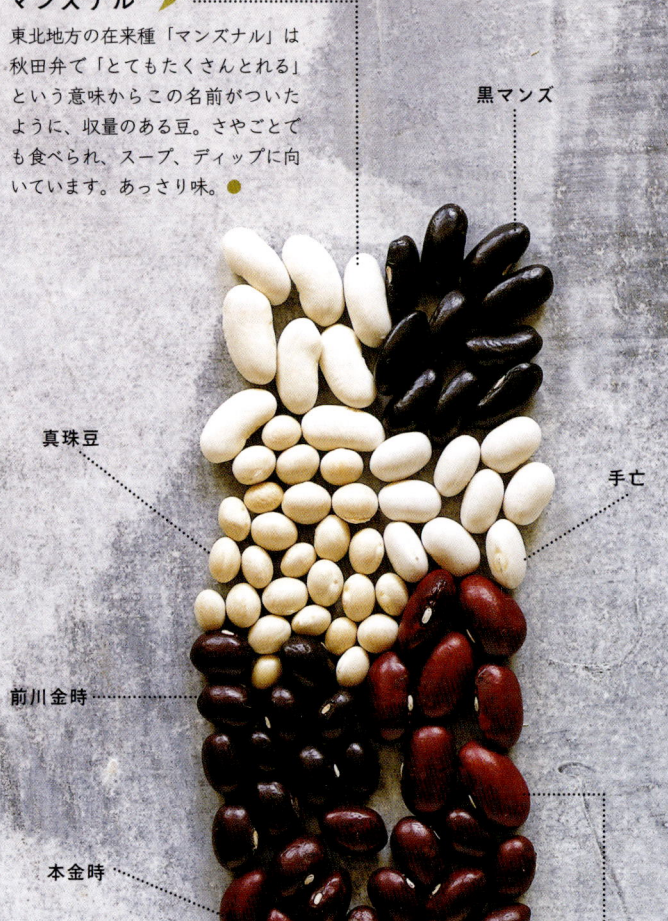

金時豆

いんげんまめの代表選手。北海道産では、「大正金時」、さらに品種改良で大粒の「福勝《ふくまさり》」「福良《ふくら》金時《きんとき》」などがあります。煮豆のほか、煮崩れしにくいので、チリコンカン、サラダ、パンに入れてもおいしい。

北海道ではお赤飯の豆として金時の甘納豆を使う家庭もあります。金時のコクを活かした甘煮、甘煮と煮汁を利用したホットケーキや蒸しパン、揚げ物や煮込みなど利用範囲は広い。

真珠豆

北海道幕別の農家(80代のおばあちゃん)が自家用に毎年つくっている豆。さやも食べていることから、さや豆の在来種でしょう。真珠のように透明感があるのが特徴。皮がやわらかく煮汁も透明なので、野菜や肉との煮込み料理のほか、つぶしてポタージュにしてもおいしい。あっさり味。

前川金時

むかしはもっぱら煮豆にして食べていました。風味豊かでコクのある味わいが特徴。煮崩れしにくいうえ、ホクホクした食感で、煮豆のほか、パン、ご飯、ケーキやゼリーに合います。「玄米には必ず前川金時」というかたもいるくらい、特に玄米などお米との相性は抜群です。北海道の郷土食ばたばた焼きにはこの濃厚な味の前川金時とその煮汁は欠かせません。

本金時

自家採取で100年近くつくり続けられている北海道ではいちばん古い金時。前川金時よりもサラッとしていて、煮豆にするとおいしい豆として知られています。また天候や土壌によって出来が違ってくる気難しい農家泣かせの豆ともいわれています。むかし小豆が不作だった年、小豆とブレンドして餡の材料に使われたこともあるそうです。煮ると赤い色がきれいに発色するのでご飯やお赤飯に合います。少しコクあり。

黒マンズ

マンズナルと同形ですが色が真っ黒。マンズナル同様皮がやわらかく、煮るとおいしいことから北海道遠軽近郊の農家が自家用でつくっていたものらしい。もともと秋田など東北地方の豆と思われます。煮汁の色が黒く出て、豆、煮汁ともに濃厚な味が特徴なのでお肉との煮込み料理に合います。さやごと食べても甘煮にしてもおいしい。

手《て》亡《ぼう》

ヨーロッパでは白いんげん豆といわれ、フランスの家庭料理「カスレ」の材料です。日本ではおもに白餡の材料ですが、お肉や野菜といっしょに煮てスープ、つぶしてコロッケにしてもおいしい豆です。あっさり味。

だいず種

一般に大豆といわれている黄大豆、黒豆との呼び名の黒大豆、青大豆のほか、在来種の赤大豆、鞍掛豆、黒千石大豆、間作大豆などもこれに含まれます。

鞍掛《くらかけ》豆

馬の鞍に似ていることからこの名前がつきました。かために茹でたのを酢とめんつゆに一晩くらい漬けるとおいしいひたし豆ができます。山形出身の家では数の子を入れたひたし豆はお正月、ハレの日のごちそうでした。濃い味が特徴。

黒千石《くろせんごく》大豆

古くは緑肥作物として栽培されていましたが、時の経過とともに栽培されなくなった品種です。田んぼで麦の輪作作物として作付けしており、小粒で病気に強く、皮は黒く中身は緑色の珍しい豆です。抗癌作用や抗アレルギー作用に関与する成分が見つかってからまた注目されるようになりました。煮豆や豆餅の材料のほか、濃厚な味ゆえ煎った黒千石大豆の豆ご飯は人気で、スコーンやクッキーに入れてもおいしい。

青大豆

在来種の「石狩緑」は、甘みがあって風味がよく、むかしからきなこや豆腐、味噌にしています。「味噌には青大豆」という農家も多く、大豆の中では人気が高い。一般の大豆と同じように昆布の含め煮のほか、酢大豆やひたし豆にしてもおいしい豆です。煮汁も透明に近く、そのまま食べると割合あっさりしていますが、つぶすと濃厚な甘みと旨みが出るのが特徴。

間作《かんさく》大豆

むかし田んぼの畦に蒔いていたのでこの名前がつきました。大豆を植えることで根粒菌の窒素が田んぼにゆきわたるので肥料にもなりました。また小振りなので、「納豆大豆」とも呼ばれ、納豆の材料としても使われています。たいへん味が濃く、肉、魚など動物性たんぱく質にも引けをとらない存在感があります。天ぷら、ディップ、豆ご飯、豆腐など豆の味を際立たせる料理に向いています。

黒豆

北海道産の品種ではおもに「イワイクロ」と「ヒカリクロ」があります。しっかりとした食感と甘みが特徴。煮汁はそのまま飲んだり、ホットケーキや黒豆ゼリーなどスウィーツの甘み、またドレッシングの材料に有効活用できます。煎ってご飯といっしょに炊く黒豆ご飯はポピュラーな食べ方です。

大豆

北海道産の品種は「トヨマサリ」「ユキホマレ」が主で、甘みとコクが特徴。なかでも「トヨマサリ」は横綱級で特に甘みの強い大豆です。茹でた大豆をフードプロセッサーで攪拌し、丸めて大豆ハンバーグにしたり、大豆クッキーなどのお菓子の材料にもなります。煮汁は淡色なのでカレーやスープにも使えます。

豆料理の基本

豆料理は大量にできてしまうという
イメージがありませんか？
鍋の大きさにもよりますが、
じつは１カップの乾燥豆から
簡単に茹でることができます。
味付けは基本的には
豆がやわらかくなってから行います。
ここでは豆の選び方から戻し方、茹で方、
甘く煮る方法、また、煎り方から保存方法まで、
基本的なプロセスを説明します。
各料理のレシピでは、
茹でた豆や甘煮、煎った豆を使用する場合、
つくり方を省略してありますので、
必ず目を通してください。

豆の選び方

●よい豆の選び方

よい豆はしっとりとした重みと微妙な手ごたえがあります。充実感、張りとつやのあるよい豆はふっくらと均一に煮えます。しわの寄った豆は未熟豆なのでいくら煮てもやわらかくなりません（石のようにかたいので石豆と呼ばれています）。

●新豆の時期

地域によって差はありますが、10月～12月が新豆の時期。
５月下旬～６月初旬に種を蒔き、７月～８月にきれいな豆の花を咲かせ、10月上旬～下旬に収穫します。

新豆の長所

皮がやわらかく、一般に煮える時間も早い。

新豆の短所

すぐ煮崩れてしまうので、プロでも扱いが難しいそうです。そのうえ、身が皮となじんでいないため、煮上がり時、豆本来の深い風味がやや薄いともいわれています。

●ひね豆（古い豆）

毎年10月～12月に新豆ができると、それ以外の古い豆は「ひね豆」といって区別します。煮上がる時間が異なり煮えムラの原因になるので、ひね豆と新豆は別々に煮てください。

ひね豆の長所

プロのかたがたは、新豆は煮る加減が難しいうえ味がぼやけてしまうので、ひね豆をあえて使う場合もあるそうです。煮上がり時に豆の味が深いというか濃いというか、しっかり豆の味わいが出るからだそうです。当店のお客様で、前川金時入り玄米ご飯は、あえてひね豆を使うかたがおられます。風味、歯ごたえのあるかたさが、ちょうどよいそうです。

ひね豆の短所

新豆よりも皮がかたく、煮えるまでにやや時間がかかります。ただ収穫後２年は、さほど大きな違いは見られませんが、変化のはっきり出るのが白花豆や手亡など白い豆で、茶色に変色してきます。カビではないのでやや長めにしっかり水で戻して煮れば、おいしくふっくら煮上がります。
ひね豆を煮るときの奥の手アドバイス。ひね豆を水に浸すとき、ひとつまみの塩を入れ、翌日、新しい水で煮る。また戻したひね豆を煎ってから煮るのも一案です。

戻し方

豆（小豆以外）は、基本的に茹でる前に水で戻します。
（戻さないで茹でる方法もあります＜P.24、P.25 参照＞。）

豆は洗って水を切り、一般的には一晩水につける
（水の量は豆の４～６倍くらい）。
豆にしわがなくふっくらとしていたら OK。

※　水に浸す時間が長すぎると、かえって皮が裂け、
煮えムラになりやすい。

●種類の違う豆もいっしょに戻せます

同じ種類の豆で同じくらいの大きさであれば、いっしょに戻していっしょに茹でても OK です。
ただ、その場合、色が薄い豆に着色したり、煮え具合が均一にならないので注意。煮込み料理やペーストなど、色が移ったり、煮崩れしてもかまわない料理にはおすすめです。

●小豆の場合

前の晩から水につけるのではなく、一気に水から茹でてみてください。
早くさやになってしまった豆は豆自身が持っている水分を逃がさないように、「芽」をふさいでしまいます。
小豆は表面から水を吸うのではなく「芽」から吸うので、芽をふさいでしまっている小豆はいくら前の日から水につけてもふくらみません。
一気に水から茹でると、芽をふさいでしまっている豆も、その熱で芽を開きますので同じように煮え、「煮えムラ」ができにくくなります。
それでも、まだ思うようにできない場合は、蒸らしてみてください。

※　古い小豆は水につけるほうがよいでしょう。

【適した鍋】

厚手の鍋が一般的（鋳物、無水鍋のような重みのあるもの、インポートもののホーロー鍋など）。

鉄鍋………黒豆を茹でるときは、鉄鍋がベスト。黒豆のアントシアニンという色素と鉄分が反応しあうので、紫がかったきれいな黒色に茹で上がります。

ポット……ポットに洗った豆と熱湯を口元まで入れて蓋をして、1時間くらいでやわらかくなります（豆は浸すと2倍以上にふくらむので、その分を考慮するように）。

圧力鍋……短時間で茹で上がります。

戻した豆を鍋に入れ、
豆よりも３～４cm上まで水を入れて、最初は強火で。

沸騰したら弱火でコトコト、豆が踊らないように
やわらかくなるまで茹でる。

茹で上がった金時豆

※　茹でるときは戻した水を使っても使わなくてもよいでしょう。
戻した水には、アクや渋み成分が溶け出ていますが、同時にビタミン、食物繊維など水溶性の栄養素も溶け出ています。栄養面から考えると使ったほうがよいですが、両者の味を比べて好みの茹で方を選んでください。

※　土鍋の場合は、豆がややかための状態で火を止めます。
火を止めてから鍋の余熱でゆっくり煮えるので、やわらかくなってから火を止めると煮崩れしてしまいます。

※　前川金時はアクが強いので、気になるようであればおたまでアクをすくうか茹でこぼし（P.24参照）をしましょう。

【差し水】

茹でている間、豆が常に水をかぶっている状態をキープします。
水が足りなくなったら差し水をしましょう。
差し水の温度はぬるま湯がベター（豆を茹でているときに表面が空気に触れると皮がはがれたりしわしわになったりするので要注意。落とし蓋や半紙、キッチンペーパーをかぶせるとよいでしょう）。

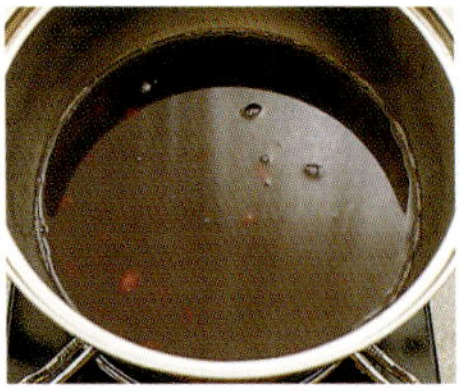

ひたひたの状態に
なったら差し水を

【茹でこぼし】

模様のある豆の茹で方です。
大半の豆は、茹でると色や模様が薄くなってしまうのが残念です。
少しでも模様を残したいときは、かために茹でるか、
茹でこぼしを何度かしてみましょう。

茹でる工程は P.23 を参照。
茹で汁は全部こぼさないで半分だけこぼして新しい水に換える（急激な温度変化で豆がかたくなってしまうのを防ぐため）。

沸騰して湯が濁ってきたら

→

茹で汁を半分捨てる

→

新たに水を入れる

※　茹でこぼしをしすぎると豆の風味がなくなってしまうので要注意。

●戻さないで茹でる場合

洗った豆を鍋に入れ、水を入れて強火で 30 ～ 40 分、差し水をしながらぐらぐら沸騰させたあと、弱火でやわらかくなるまで茹でる。
その後の工程は戻した場合と同じ。

●圧力鍋で茹でる場合

＜戻した豆の場合＞

豆の３～４倍の水を入れ、最初は強火で、圧がかかってから３～５分弱火で茹でる。自然放置。

＜戻さない豆の場合＞

豆の４～５倍の水を入れ、最初は強火で、圧がかかってから 15 ～ 20 分弱火で茹でる。自然放置。

※　圧力鍋で少しかために茹でて、そのあと圧なしで弱火で茹でたほうが失敗しません。茹で上がる時間は豆の種類や状態によって微妙に違うので、圧をかける時間を最初は短めにして、豆の状態を確かめながら茹でるとよいでしょう。

※　鍋の中で豆が飛び跳ねないように、落とし蓋をして火にかけましょう。

●細切れ時間は煮豆タイム

豆を茹でる時間のないかたへ。細切れに空いた時間を有効に使いましょう。朝、鍋を火にかけて沸騰したら弱火にして 10 分茹でて火を止める、帰宅後 15 分茹でる、テレビを見ながらまた茹でる、など細切れに空いた時間を利用すれば急いで茹でるよりむしろふっくらきれいに茹で上がります。そのとき、鍋は土鍋など蓄熱効果の高い厚手のものを使ってください。

●煮えムラがあるときは

一晩「塩水」につけ、翌日新しい水にとりかえて茹でます。

●保存期間

茹でた豆は冷蔵庫に入れて、１～２日中に食べきりましょう（味付けしていない茹でただけの豆はとてもアシが早い）。冷蔵保存の場合、しっかり粗熱を取り、陶器やガラスなど化学合成されていない容器に入れて保存するのをおすすめします。

甘い煮豆

そのまま食べたり餡にしたり。
ふっくらおいしい甘い煮豆をつくるポイントは
砂糖を入れるタイミングです。

●砂糖の量

甘煮を作るとき、

甘めにするなら豆：砂糖を1：1に。
薄甘にするなら豆：砂糖を1：0.6～0.8に。

砂糖を入れて煮上がったら、火を止めてから塩を少々入れると味がしっかりします（餡のときは入れない）。

●砂糖を入れるタイミング

P.23～24の要領で豆を茹でて、豆がやわらかくなったら、
ひたひたくらいの水量にし、砂糖を入れる。
指で軽くはさんでつぶれるくらいが目安だが、
かためがお好みなら少し早めに入れる。

※　必ずやわらかくなってから味付けを！
豆がかたいうちに調味料を加えると、それ以降いくら煮てもやわらかくなりません。

10～15分弱火で煮て味をしみ込ませる。
火を止めてから塩少々を入れ、15～20分蒸らす。

※　ふっくらしっとり煮るには、たっぷりの水と蒸らしが決め手。
煮えたからといってすぐに蓋を開けてしまうと豆の表皮が空気ではがれてしまいます。しっかり蒸らす時間をもうけましょう。
※　一晩置いたほうが味がしみておいしいです。
※　土鍋の場合は、豆がややかための状態で火を止めます。
火を止めてから鍋の余熱でゆっくり煮えるので、やわらかくなってから火を止めると煮崩れしてしまいます。

●甘い煮豆に合う豆

コクのある豆が好きなかたは前川金時、黒豆、紫花豆など。
あっさりめが好きなかたは、白花豆、紅しぼり、貝豆など。

【黒豆の煮方（関東風）】

豆の顔が
少し見えるくらい
の状態で砂糖を
加える

砂糖を後から入れる関東風の煮方は、
表面にしわが寄りますが、
豆が引き締まって味が濃い、
歯ごたえのある煮上がりになります。

※　P.23の茹で方とほとんど同じですが、違うところは豆を戻した水を使うこと。茹でこぼしはせずにアクをおたまですくうこと。

【黒豆煮（関西風…シロップに一晩漬けて煮る）】

しわが寄らない煮方です。
シロップに漬けた豆を弱火で煮ては蒸らし、
これを３～４回繰り返すと甘みがしみて日持ちもします。

シロップ［水…５カップ
　　　　　砂糖…150g
塩…小さじ 1/2（または醤油…小さじ２）

1　黒豆１カップを洗い、合わせて熱したシロップに一晩浸ける。
2　翌日１を火にかけ、沸騰したら弱火にしてコトコト煮る。キッチンペーパーか半紙を落とし蓋にして豆の表面が出ないように煮る。途中、水が足りなくなったら差し水（分量外）をする。
3　豆がやわらかくなったら火を止め、塩か醤油を入れて 15 ～ 20 分蒸らす。

※　鉄釘を入れて煮るとさらに漆黒の色になります。

【紫花豆の煮方】

茹でてからシロップに漬ける方法です。
他の豆でも応用可。

シロップ［水…140ml、砂糖…70g
　　　　　塩…少々

1　紫花豆１カップを一晩浸水し、茹でる（茹で方は P.23 と同じ）。
2　シロップの砂糖と水を鍋に入れてひと煮立ちさせ、塩を加える。
3　豆が熱いうちに熱したシロップに漬け込んで味をしみ込ませる。

※　お好みで赤ワインやリキュール少々を入れてもいいでしょう。

煮汁の利用

豆を茹でたときの「茹で汁」や、甘煮のときの「煮汁」は捨てずに、
料理に利用します。
ペーストをつくるときにゆるさを調整したり、
ドレッシングにしたり、スープなどの水分として大活躍します。

煎り方

大豆類は乾燥豆を煎ってそのまま食べられます。
大豆、黒豆、鞍掛豆、黒千石大豆、間作大豆など。
煎った豆を料理に使うと香ばしさや食感を楽しめます。

【黒千石大豆を煎る】

＜フライパンの場合＞

フライパンに豆を入れ、
中火にかける。
豆が焦げないように
フライパンをゆらしながら煎る。
豆がきつね色になり、
皮が割れて中の緑色が少し
見えてきたらできあがり。

＜オーブンの場合＞

天板にオーブンシートを敷き、
豆を置く。
180℃に予熱したオーブンに
入れて５分、足りないようなら
１～２分さらに焼く。

●乾燥豆

豆の保存で理想的なのは、乾燥豆を冷凍保存する方法です。最も鮮度が保たれます。
あるいは紙袋か缶などに入れて冷蔵保存しましょう（15℃以下）。
豆は湿気を嫌うのでなるべく梅雨を越さないようにします。

※　新豆と古い豆（ひね豆）は混ぜないこと！
　　古い豆は水につける時間、煮えるまでの時間が多くかかるので、煮えムラの原因になります。

＜虫がわいてしまったら＞

虫がわいてしまったら天日で３～４日干して虫を逃がし、さらに虫が食っている豆は捨ててきれいに水で洗い、一晩水に浸します。浮いてきた豆は中が空洞なので、それも捨ててから煮るようにしましょう。豆は生き物なので、虫がわいたりカビがはえることを前提にお取り扱いください。農家の話ですが、鷹の爪を入れて保管すると虫のわくのを防いでくれるそうです。

●戻した豆をフリージング

水で戻した豆を戻し汁を切ってから冷凍します。後日、水を加えて茹でます。

●まとめて茹でてフリージング

豆をかために茹でてから味をつけないで小分けにして冷凍します。茹で汁は切ってから冷凍しましょう。

●つぶしてフリージング

茹でた豆を汁気を切って、粗くつぶして冷凍します。他の食材と混ぜて使う場合に便利。ピューレと違い、豆の風味、歯ざわりが残るので、コロッケ、スープなどに入れるとおいしいです。

●ピューレをフリージング

茹でた豆を汁気を切って粗くつぶし、裏ごしして皮を取り除いたものを冷凍します。スープ、ペースト、羊羹、餡、ババロア、ゼリー、アイスクリームなどに手軽に使えて便利です。

遠軽町《えんがるちょう》の地豆暦 ……………1

遠軽町では、今でも昔ながらの手をかけた作業で
在来種の豆を栽培しています。
種蒔きから出荷までの農家の日々をご紹介します。

4月下旬　土起こし

雪が解けたら農家は忙しくなります。種を蒔く準備として土起こしからはじまります。かたくなった土を耕運機で掘り起こし、畝《うね》をつくっていきます。耕運機は重くて操るのにかなりの力と熟練を要します。在来種の豆畑は小さいので機械よりも人の手で操る耕運機を使うところが多いです。

5月下旬～6月上旬　種蒔き、草取り

いよいよ種蒔き。カッコーが鳴いたら種蒔きシーズンがスタートします。人の足の大きさひとつ半ごとに種を落としていきます。やはり機械で蒔くには量が少ないので人の手に頼ります。春の遅霜があるため種蒔きはあまり早くしないほうがよいようです。種蒔き後、芽が出て豆の葉がぐんぐん成長します。開花までは雑草との戦い。ひたすら草取りです。機械で畝間の雑草は取れても株間は人の手で刈るしかありません。豆とよく似た雑草があるので、慣れない初心者は時間がかかり農作業の中でも草刈りはいちばん骨の折れる仕事となります。

草取りの風景

7月～8月　開花、結実

中生白花豆の花

「花が咲いたら蛇も通すな」という言い伝えがあるように、花が咲いたらむやみに畑に入ってはいけません。豆にとってそれくらいデリケートな時期なのです。こうして豆の実入りがはじまります。在来種の豆は、育成品種に比べて開花時期にばらつきがあるのが特徴です。豆は夏、高温になると花が早くに散ってしまい実にならない年があります。開花時期を自らずらすことで種を保存するというメカニズムが在来種には備わっているのです。むかしは夏の土用までに開花しないとその年は不作といわれていましたが、温暖化の影響で８月のお盆頃の開花でも収穫があるようになりました。小豆は８粒、菜豆類（いんげん類）は５～６粒実が入っていれば豊作の年と予想されます。

豆

すぐできるおつまみと前菜

「のせる、かける」

そのまま食べるほか、
ご飯にかけてもgood。

長いもがけ

青のりがけ

青のりと大豆の
相性抜群あっさり味。

冷製パスタに
和えてもおいしい。

梅醤油がけ

なめたけ大根おろしがけ

あっさり和風おつまみに
ぴったり。

青のりがけ

材料

青大豆（かた茹でしたもの）…1カップ

青のり…大さじ1

塩…適宜

作り方

1 大豆はややかために茹で、煮汁を切って軽く塩をふっておく。

2 青のりをふる。

長いもがけ

材料

うずら豆（かた茹でしたもの）…1カップ

長いも…120g

だし汁…大さじ2

醤油…大さじ2

梅酢…小さじ1

塩…適宜

きざみのり…適宜

作り方

1 うずら豆はややかために茹で、煮汁を切って軽く塩をふっておく。

2 長いもはすりおろし、調味料を混ぜ合わせて豆と合わせ、きざみのりをふる。

梅醤油がけ

材料

青大豆（かた茹でしたもの）…1カップ

梅干（みじん切り）…大さじ2

だし汁…大さじ2

醤油…小さじ1/2

かつおぶし…6g

塩…適宜

作り方

1 青大豆は歯ごたえがあるくらいにかために茹で、煮汁を切って軽く塩をふっておく。

2 梅干、かつおぶし、調味料を混ぜ合わせ、青大豆と合わせる。

なめたけ大根おろしがけ

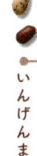

材料

鞍掛豆（かた茹でしたもの）…1カップ

大根おろし…100g

なめたけ（味付き）…大さじ3〜4

塩…適宜、大葉（せん切り）…2枚

作り方

1 鞍掛豆はややかために茹で、煮汁を切って軽く塩をふっておく。

2 大根おろしとなめたけを和え、豆と合わせ、大葉をのせる。

「和える」

お豆腐マヨネーズで
低カロリー＆ヘルシーな
和え物。

豆とゴマのコクが絶妙な
ハーモニー。

豆腐マヨネーズ和え

材料

紫花豆（茹でたもの）…1/2 カップ

＜豆腐マヨネーズ＞

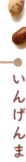

絹ごし豆腐…1/2 丁
白味噌…大さじ 2
サラダ油…大さじ 1
レモン汁…小さじ 1/2
マスタード…小さじ 1/2
塩…適宜

作り方

1 紫花豆は茹でたあと、軽く塩（分量外）をふっておく。
2 豆腐マヨネーズの材料をフードプロセッサーにかけ、豆と和える。

練りゴマ和え

材料

うずら豆（茹でたもの）…1/2 カップ

白練りゴマ…大さじ 2
白味噌…小さじ 1
醤油…小さじ 1
塩…適宜
だし汁…適宜

作り方

1 うずら豆は茹で上がったら塩をふっておく。
2 調味料を混ぜ合わせておく。水気が足りないときはだし汁を加える。
3 うずら豆と２を和える。

パンにはさんで
サンドイッチの
具材にもなります。

切干大根は戻さずに。
自然の甘みが
からだにやさしい。

ピーナツバター和え

材料

前川金時（茹でたもの）…1/2 カップ

玉ねぎ…1/4 個
ピーナツバター…大さじ 2
レモン汁…小さじ 1
りんご酢…小さじ 1
醤油…小さじ 1
塩…適宜
だし汁…小さじ 2
みりん（甘みが足りないとき）…適宜

作り方

1 薄くスライスした玉ねぎに塩をふっておき、水気が出たらさっと洗って軽くしぼり、水気を切る。
2 ピーナツバター、レモン汁、りんご酢、醤油をよく混ぜておく。水気が足りないときはだし汁を入れる。
3 茹でた前川金時と玉ねぎを 2 で和える。

納豆和え

材料

黒千石大豆（かた茹でしたもの）
…1/3 カップ

切干大根…20g
だし汁…大さじ 2
納豆…1 パック（45g）
醤油…大さじ 1

作り方

1 黒千石大豆は歯ごたえがあるくらいにかために茹でておく。切干大根は洗ってざるにあけ、食べやすい長さに切っておく。
2 すべての材料を混ぜ合わせる。
※ 一晩漬けたほうが味がしみておいしい。切干大根は水で戻さない。

「つぶす」

手亡ペースト プレーン＋煎り豆

あっさり味の手亡に
カリカリ香ばしい
煎り黒千石大豆を
ミックスした新食感。

紫花豆ペースト 練りゴマ

紫花豆は
ふっくらほっくり
煮ましょう。
ゴマの風味が豆の味を
絶妙に引き立てます。

スパイスきかせた
アラビア風。

白花豆ペースト クミン入り

大豆ペースト プレーン

やわらかめに茹でた豆を
フードプロセッサーで
ペーストに。
パンやクラッカー、
野菜にはさんで、ぬって。

虎豆ペースト　ピーナツバター

ピーナツバターの濃厚さを
レモンで引き締めます。
水にさらした赤玉ねぎを加えても good。

和風にもよし洋風にもよし。
煮汁でのばして
サラダのドレッシングにも使えます。

うずら豆ペースト　味噌

大豆ペースト プレーン

材料

大豆（やわらかめに茹でたもの）
…2/3 カップ

塩…適宜
コショー…少々
オリーブオイル…小さじ 1
大豆の煮汁…適宜

作り方

茹でた大豆をフードプロセッサーでペーストにし、オリーブオイルと調味料を加える。水分が少ない場合は煮汁を足しながら攪拌する。
※塩、コショーは最後に加える。

紫花豆ペースト 練りゴマ

材料

紫花豆（やわらかめに茹でたもの）
…2/3 カップ

白練りゴマ…大さじ 1
醤油…小さじ 1
塩、コショー…各適宜
紫花豆の煮汁…適宜

作り方

茹でた紫花豆をフードプロセッサーでペーストにし、調味料を加える。水分が少ない場合は煮汁を足しながら攪拌する。

手亡ペースト プレーン＋煎り豆

材料

手亡（やわらかめに茹でたもの）
…2/3 カップ

オリーブオイル…小さじ 1
塩、コショー…各適宜
黒千石大豆…5g
ゴマ油…小さじ 1/4
手亡の煮汁…適宜

作り方

1 黒千石大豆は洗ってから煎りし、フードプロセッサーで粗く砕いておく。
2 茹でた手亡をフードプロセッサーでペーストにし、黒千石大豆と調味料、ゴマ油を加える。水分が少ない場合は煮汁を足しながら攪拌する。

白花豆ペースト クミン入り

材料
中生白花豆（やわらかめに茹でたもの）
…2/3 カップ

塩…適宜
コショー…少々
オリーブオイル…小さじ 1
にんにく…1/2 かけ
クミン…適宜
レモン汁…小さじ 1
中生白花豆の煮汁…適宜

作り方
茹でた白花豆とにんにくをフードプロセッサーでペーストにし、調味料とオリーブオイルを加える。水分が少ない場合は煮汁を足しながら攪拌する。

虎豆ペースト ピーナツバター

材料
虎豆（やわらかめに茹でたもの）
…2/3 カップ

ピーナツバター…大さじ 1
レモン汁…小さじ 1
塩、コショー…各適宜
虎豆の煮汁…適宜

作り方
茹でた虎豆をフードプロセッサーでペーストにし、調味料を加える。水分が少ない場合は煮汁を足しながら攪拌する。

うずら豆ペースト 味噌

材料
うずら豆（やわらかめに茹でたもの）
…2/3 カップ

味噌…大さじ 1
にんにく…1/2 かけ
醤油…小さじ 1/2
サラダ油…大さじ 1
うずら豆の煮汁…適宜

作り方
茹でたうずら豆とにんにくをフードプロセッサーでペーストにし、調味料とサラダ油を加える。水分が少ない場合は煮汁を足しながら攪拌する。

「浸す」

青大豆はちょっとかために
茹でるのがポイント。
数の子を入れるとお正月の
お節料理にもなります。

ひたし豆

材料

青大豆（かた茹でしたもの）
　…2/3 カップ

レモン汁…大さじ 3
青大豆の煮汁…1/4 カップ
塩…適宜

作り方

1 青大豆はやや歯ごたえがあるくらいに茹で、煮汁を切って軽く塩をふっておく。
2 青大豆に煮汁とレモン汁を加え、塩で味を調えて一晩浸す。

青大豆入り浅漬け

材料

青大豆（かた茹でしたもの）
　…2/3 カップ

キャベツ（ざく切り）…1/6 個
大葉（せん切り）…3 枚
しょうが（せん切り）…1/2 かけ
きゅうり（輪切り）…1 本
人参（いちょう切り）…30g
昆布（2cm 角）…4 枚
塩…適宜
だし汁（昆布）…1/3 カップ
青大豆の煮汁…1/4 カップ

作り方

1 青大豆はやや歯ごたえがあるくらいに茹でる。塩少々をふっておく。
2 材料をすべて混ぜて軽くもみ、ファスナーつき保存袋に入れて空気を抜き、2～3 時間漬ける。

農家のおかん平間静枝さんから
おそわりました。
煮汁を洋風のドレッシング
にしてサラダにしても OK。

「浸す」

いろんな豆を入れて
彩りも楽しめるマリネ。
たくさん作って
餃子の具材にしてもおいしい。

ミックスビーンズのマリネ

材料（4人分）

大豆（かた茹でしたもの）
…1/2カップ
黒豆（かた茹でしたもの）
…1/2カップ
紫花豆（かた茹でしたもの）
…1/2カップ

玉ねぎ…1/4個
にんにく…1/2かけ
オリーブオイル…大さじ1.5
りんご酢…大さじ1
レモン汁…大さじ1
塩…小さじ1/4
コショー…少々

作り方

1 大豆と黒豆、紫花豆は別々にかために茹でる（色が移ってもよければ、大豆、黒豆はいっしょに茹でてもOK）。
2 玉ねぎとにんにくはみじん切りにする。
3 豆が熱いうちに2を加え、りんご酢、レモン汁、塩、コショーで味付けする。最後にオリーブオイルを加えて混ぜ、15分くらい置き、味をなじませる。
※ 翌日、もう一度、りんご酢、オリーブオイル、塩、コショー各適宜を加えてしみ込ませるとさらに味にメリハリがつく。

「漬ける」

福神漬けは本来は
「なたまめ」でつくります。
紫蘇の実を入れると
さらにおいしくなります。

鞍掛豆入り福神漬け

材料

鞍掛豆（かた茹でしたもの）
…2/3 カップ

大根、人参…各 1/3 本
切干大根…30g
きゅうり…1 本
ナス…2 本
レンコン…30g
ごぼう…1/2 本
しょうが…30g
鷹の爪（種を取って刻む）…適宜
酒（お好み）…適宜
みりん（お好み）…適宜
醤油…1.5 カップ＋α（野菜を漬ける分）
砂糖…100g

作り方

1 切干大根は戻して食べやすい長さに切る。ごぼうは小口切り、しょうがはせん切り、他の野菜は 1.5cm 角に切る。
2 しょうが以外の野菜を一晩醤油に漬けておく。
3 鞍掛豆をややかためにに茹でる。
4 醤油に漬けた野菜をざるにあけて水気を切る。
5 醤油 1.5 カップに砂糖、みりん、酒を加えて煮溶かしてひと煮立ちさせ、4 の野菜、しょうが、豆、鷹の爪を一晩漬け込む。

農家のおかん服部ツルさんから
おそわりました。
バルサミコ酢、サラダ油を加えて
洋風にもアレンジできます。

鞍掛豆のめんつゆ漬け

材料

鞍掛豆（かた茹でしたもの）
…2/3 カップ

めんつゆ（市販のもの）…大さじ 3
酢（どの酢でも OK）…大さじ 3
みりんまたは砂糖
（甘みが足りないとき）…適宜

作り方

1 調味料はあらかじめ混ぜ合わせておく（めんつゆ：酢＝１：１）。
2 かためにに茹でた鞍掛豆を熱いうちに調味料に浸し、２～３時間漬けてできあがり。

「漬ける」

漬け汁をドレッシングにして
お豆サラダに展開できます。

豆のピクルス

材料

紅しぼり
うずら豆
前川金時
（すべてかた茹でしたもの）
…合わせて１カップ

＜シロップ＞
りんご酢…50ml
砂糖…30g
水…15ml
塩…小さじ 1/2
ローリエ…１枚
黒粒コショー…５粒くらい

作り方

1 豆はやや歯ごたえが残るくらいにいっしょに茹でる。
2 シロップの材料を合わせ、火にかけて一度煮立たせる。
3 シロップが熱いうちに茹でた豆を入れ、一晩漬け込んでできあがり。

遠軽町の地豆暦 ……………2

いんげん豆の若さや

7月〜8月　さや豆の収穫

農家では夏場に在来種の豆を若いうちに、おひたし、お煮しめにして野菜のように食べています。別名おかず豆、野菜豆と呼ばれているゆえんです。この時期、元酢を希釈したものを噴霧したり、ドクダミを使ったりして化学薬品を使わない方法で虫を防除します。

9月　豆引き、島立て

ぱんぱんに実が入り完熟してきます。収穫はもうすぐというところで、秋の早霜や長雨で今まで順調に成長してきたにもかかわらず大きな被害を受けることがあるのがこの時期です。農家は最後まで気を抜けません。霜や雨の被害を免れ完熟すると、枯れたさやの中にふっくらしてきれいに色づいた豆の実を見ることができます。こうなると次が豆引き。豆を根っこから抜いて根を上にし、いくつか束ねて小さな山のようなかたちにして乾燥させます。これを島立てといいます。

完熟したパンダ豆

10月　ニオ積み

根が乾燥したら、ニオ積みです。今度は島立てにした豆の束を積み重ねてさらに乾燥させます。むかしは棒ニオといって2mくらいの棒を突き刺したまわりに島立ての束を積んでいく方法が主流でした。ニオ積みより風通しがいいので早く乾燥するメリットがありますが、手間がかかるので最近ではほとんど見かけなくなりました。在来種の豆の農家は島立てからはじまる天日乾燥にじっくり時間をかけます。味がよくなるとともに、乾燥が甘いとカビの原因になるからです。豆の実に爪を立てて爪跡が残らなくなったらOK。最近ではニオ積みしないで収穫し、機械で温風乾燥する農家がほとんどになりました。高温の温風乾燥は乾燥する時間が短縮できますが、豆が火傷を起こし表皮がはがれやすくなることもあります。

豆

毎日のご飯とおかず

具材に下味をしっかり
しみ込ませることと、
豆腐の水切りがポイントです。

黒豆の白和え

材料

黒豆（かた茹でしたもの）
…1/3 カップ
木綿豆腐…1/4 丁
人参…1/3 本
春菊（ざく切り）…4 本
こんにゃく…1/4 枚
干ししいたけ…2 個
醤油…大さじ 1
白味噌…大さじ 1
だし汁（昆布、しいたけ）…適宜
白練りゴマ…大さじ 2
塩…適宜

［A］（黒豆、人参、しいたけ、こんにゃくの下味）
醤油…大さじ 1
みりん…大さじ 1
だし汁（昆布、しいたけ）…大さじ 1

作り方

1 干ししいたけは水で戻して軸を取り、薄切りにする。
2 黒豆はかた茹でにして軽く塩をふっておく。春菊は洗って軽く塩をふっておく。
3 細切りにした人参、こんにゃくと、しいたけ、黒豆はＡでさっと煮て 20 分くらい置き、味をしみ込ませる。
4 豆腐は熱湯でさっと茹で、しっかり水気を切っておく。
5 すり鉢に豆腐、練りゴマ、白味噌、醤油を入れてよくする。だし汁でゆるさを調節する。
6 最後に材料すべてを混ぜ合わせ、塩分が足りないときは塩で味を調える。

かた茹でした大豆でもOKですが、
素揚げするとより
深い豆のコクが味わえます。

揚げ大豆のひじき煮

材料

大豆（戻したもの）…1/3 カップ

ひじき…10g

ちりめんじゃこ…20 g

酒…大さじ 2

醤油…小さじ 2

砂糖…小さじ 1/2

だし汁…1 カップ

揚げ油（サラダ油）…適宜

ゴマ油…適宜

作り方

1 一晩水で戻した大豆はしっかり水気をふきとり、水分を飛ばす程度にから煎りする。

2 大豆を 180℃くらいの揚げ油でじっくり素揚げする。

3 鍋にゴマ油をひき、さっと洗って水切りしたひじきを炒め、大豆、ちりめんじゃこを入れてさらに炒め、だし汁を加える。

4 ひと煮立ちしたら、砂糖、酒、醤油で味付けして煮汁がなくなるまで煮詰める。

だしに使った昆布でも
十分おいしい。
佃煮のように常備しておくと
便利なおかずです。

豆昆布

材料

大豆（茹でたもの）…2/3 カップ

昆布（1cm 角）…10 枚
ちりめんじゃこ…30g
酒…大さじ 2
醤油…大さじ 2
砂糖…大さじ 1
水…1/2 カップ

作り方

1 大豆を茹でておく。
2 ちりめんじゃこと昆布と水を鍋に入れて火にかけ、ちりめんじゃこがやわらかくなったら、豆、酒、醤油、砂糖を入れて煮詰める。
※ 昆布はだしに使ったものでも OK。

ピリ辛大豆こんにゃく

材料

大豆（戻したもの）…80g

こんにゃく…50g

醤油…大さじ２

みりん…大さじ２強

酢…大さじ２

ゴマ油…大さじ１

七味唐辛子…適宜

揚げ油（サラダ油）…適宜

味をしみ込ませるために
素揚げした大豆を熱いうちに
味付けするのがポイントです。
油がはねないように
水切りはしっかりと。

作り方

1 一晩水で戻した大豆はしっかり水気をふきとり、水分を飛ばす程度にから煎りする。180℃くらいの揚げ油で素揚げする。

2 こんにゃくは湯がいたあと大豆と同じくらいの大きさにスプーンで切る。

3 鍋にゴマ油をひき、こんにゃくを炒めて油がまわったら大豆を入れ、次に七味以外の調味料を入れて全体に味がなじんだら、最後に七味をふる。

マーマレードがお肉の臭みを消してくれるうえ、
黒豆のおいしさを引き立てる超簡単レシピ。

鶏肉と黒豆のマーマレード煮

材料

黒豆（茹でたもの）…100g

鶏手羽中…10本
マーマレード…200g
醤油…100ml
にんにく…1かけ

作り方

1 黒豆を茹でておく。にんにくはスライスする。
2 鍋にマーマレード、醤油、鶏肉、にんにくを入れて弱火で焦げないように煮る。途中、焦げそうになったら水(分量外)をふりかける。
3 鶏肉に火が通ったら、黒豆を入れてさらに煮て、全体に味がなじんだらできあがり。

ジャムのかわりにパンにのせて
食べてもよいでしょう。
さつまいもとりんごの
自然の甘みが
からだにやさしい。

紅しぼりとさつまいものりんご煮

材料

紅しぼり（茹でたもの）…2/3カップ

りんご（2cmの角切り）…1/2個
さつまいも（2cmの角切り）…1/4本
塩…適宜
水…大さじ3強

作り方

1 茹でた紅しぼりは軽く塩をふっておく。りんごはひとつまみ塩をふり、水気が出るまでしばらく置く。さつまいもはひとつまみ塩をふっておく。
2 鍋にりんごを入れて火にかけ、十分に水気が出てやわらかくなったら、さつまいもと水を加えて弱火で煮る。
3 さつまいもがやわらかくなったら豆を加え、汁気がなくなるまで煮る。途中焦げそうになったら水（分量外）を足す。
※ りんごをジャムのようにトロリと甘く煮るのがポイント。

ソイミートボール

濃厚な味の黒千石大豆は丸めてハンバーグ、
クリームシチューのお肉がわりに使えます。

レンコンと前川金時のでんぷん質でつくるハンバーグ。
デミグラスソースやトマトソースをかけてもおいしい。

レンコンとお豆の和風ハンバーグ

ソイミートボール

材料

黒千石大豆（茹でたもの）
…1カップ

しょうが（みじん切り）…10g
玉ねぎ（みじん切り）…1/2個
薄力粉…大さじ1
塩、コショー…各適宜
黒千石大豆の煮汁（フードプロセッサーにかける際の水がわり）
…適宜

＜トマトソース＞
ケチャップ…60ml
水…60ml＋小さじ1/2（葛粉用）
塩、コショー…各適宜
醤油…小さじ1/2
葛粉…小さじ1/2

作り方

1 茹でた黒千石大豆はフードプロセッサーに煮汁とともに入れてペーストにする。
2 玉ねぎはサラダ油（分量外）で薄く色がつくまで炒め、塩、コショーしておく。
3 黒千石大豆と薄力粉、2の玉ねぎ、しょうがのみじん切りを混ぜ合わせ、こねる。
4 葛粉と葛粉用の水以外のトマトソースの材料を鍋に入れてひと煮立ちさせ、水溶き葛粉を入れてトロミをつける。
5 3を一口大に丸めて、多めのサラダ油（分量外）で焼き、トマトソースをからめてできあがり。

レンコンとお豆の和風ハンバーグ

材料

前川金時（やわらかめに茹でたもの）
…1 カップ

玉ねぎ（みじん切り）…1/2 個
レンコン…100g
パン粉…2/3 カップ
干ししいたけ（戻してみじん切り）
…2 個
塩、コショー…各適宜
サラダ油…適宜

＜タレ＞
醤油…大さじ 3
砂糖…大さじ 3
酒…大さじ 3
酢…大さじ 1
片栗粉…大さじ 1
水（片栗粉用）…大さじ 1

作り方

1 前川金時はやわらかく茹でて熱いうちにマッシュしておく。レンコンは皮ごとすりおろしておく。
2 玉ねぎはサラダ油で薄く色がつくまで炒め、しいたけを入れてさらに炒める。
3 2と前川金時、レンコン、パン粉を混ぜ合わせ、塩、コショーで味を調えてから小判形に丸め、やや多めの油でさっと焼いて器に盛る。
4 タレの調味料を混ぜて煮立て、水で溶いた片栗粉でトロミをつけ、3にかけてできあがり。

きんぴらごぼうを入れることで深い風味とコクが出て、
お豆の味をさらに引き立てます。

きんぴらごぼう入り豆コロッケ

材料

緑貝豆（茹でたもの）…1カップ

塩、コショー…各適宜

揚げ油（サラダ油）…適宜

＜衣＞

水溶き薄力粉…適宜

パン粉…適宜

＜きんぴらごぼう＞

ごぼう（ささがき、浸水しない）
…70g

サラダ油…大さじ1

醤油…大さじ1強

酒…大さじ2

だし汁…大さじ2

砂糖…大さじ1

作り方

きんぴらごぼうをつくる

1 ごぼうを油で炒め、火が通ったら調味料を加え、ごぼうのシャキシャキ感がやや残るくらいで火を止める（やや濃い味付け）。

豆コロッケをつくる

2 緑貝豆は茹でてマッシュし、熱いうちにきんぴらごぼうを加え、塩、コショーで味を調えて丸く成形する。

3 水溶き薄力粉、パン粉の順に衣をつけ、180℃くらいの揚げ油でカラリと揚げる（高温で揚げると破裂しやすいので要注意）。

茶色いんげんや手亡など小振りな豆が合います。
オムレツの上にかけてスパニッシュ風に。

豆オムレツ

材料

茶色いんげん（茹でたもの）…1/2 カップ

人参（1cm の角切り）…20g

玉ねぎ（1cm の角切り）…1/3 個

卵（溶いておく）…4 個

バター…10+10g

ホールトマト…1/2 缶

塩、コショー…各適宜

ローリエ…1 枚

野菜ブイヨンの素…少々

作り方

1 茶色いんげんを茹でておく。

2 玉ねぎは薄く色がつくまでバター 10g で炒めたら、人参を加えてさらに炒め、塩、コショーをする。

3 フライパンにホールトマトを熱し、煮立ってきたら豆と２とローリエ、野菜ブイヨンを加えてトロミがつくまで煮、最後に塩、コショーをする。

4 別のフライパンを火にかけてバター 10g を入れ、卵を流し入れてオムレツをつくる。器に盛ってかたちを整えて３の具材をオムレツにのせる。

お豆たっぷりお好み焼き

材料

うずら豆（かた茹でしたもの）
…1/3カップ

紅しぼり（かた茹でしたもの）
…1/3カップ

じゃがいも…2個

チーズ（さいの目切り）…30g

ちりめんじゃこ…10g

さくらえび…10g

塩…適宜

サラダ油…適宜

作り方

1 うずら豆と紅しぼりはかためにに茹でておく。

2 じゃがいもをおろし金ですり、豆とチーズ、じゃこ、さくらえび、塩を混ぜ、油をひいたフライパンでカリッと焼く。

※ そのままでもよいが、豆乳マヨネーズ、砂糖醤油をつけて食べてもおいしい。

小麦粉を使わず、
じゃがいもをすって
タネをつくります。
すったじゃがいもは水分が
出るので、水気が多いときは
少し捨てましょう。

一晩戻したお豆を
じっくり揚げるのがポイントです。
歯ごたえのある食感でいただきましょう。

豆の天ぷら

材料

紅しぼり
貝豆　　（すべて戻したもの）
手亡
　…合わせて 2/3 カップ

ちりめんじゃこ…30g
揚げ油（サラダ油）…適宜

＜衣＞
薄力粉…1 カップ
上新粉…大さじ 1
冷水…1.3 カップ

＜天つゆ＞
醤油…大さじ 2
みりん…大さじ 2
だし汁…1/2 カップ
大根おろし…適宜
塩…適宜

作り方

1 紅しぼり、貝豆、手亡はそれぞれ別に一晩浸水しておく（豆の色が移ってもよければいっしょに浸水しても OK）。
2 薄力粉と上新粉を冷水で軽く溶き、豆とちりめんじゃこを入れてかき揚げくらいの厚さに衣をつけ、180℃くらいの揚げ油でじっくり揚げる。
3 塩や大根おろしを添えた天つゆをつけて食べる。

いんげんまめ

豆カレー

お豆のかたちを残さずに
とろとろに煮崩した豆で
トロミをつけてもよいでしょう。

挽肉のかわりに高野豆腐を使います。
コクがもう少しほしいなというときは
玉ねぎの量を増やし、
しっかり炒めてください。

キーマカレー

豆カレー

材料

紅しぼり（かた茹でしたもの）
…1/4 カップ
前川金時（かた茹でしたもの）
…1/4 カップ
虎豆（かた茹でしたもの）
…1/4 カップ

玉ねぎ（薄切り）…1/2 個
人参（いちょう切り）…40g
カレールー（市販のもの）…2 人分
水＋豆の煮汁
…ルーのパッケージの表示により適宜
サラダ油…大さじ 1
塩…適宜
玄米ご飯…300g

作り方

1 紅しぼり、前川金時、虎豆はそれぞれかために茹でて軽く塩をふっておく。
2 鍋に油をひいて玉ねぎを薄く色がつくまで炒めたら、人参を入れてさらに炒める。次に豆を入れてさっと炒め、水と煮汁を加える。
3 豆がやわらかくなったらカレールーを入れ、ルーが溶けたらできあがり。
4 玄米ご飯にかけて食べる。

キーマカレー

材料

黒千石大豆（茹でたもの）
…1/3 カップ

高野豆腐…2 個
カレールー（市販のもの）…2 人分
玉ねぎ（みじん切り）…1/2 個
水…適宜
サラダ油…適宜
醤油（お好み）…少々
はちみつ（お好み）…適宜
塩…適宜
玄米ご飯…300g

作り方

1 黒千石大豆は茹でて軽く塩をふっておく。
2 高野豆腐は水で戻し、フードプロセッサーで粗く砕いておく。
3 鍋に油をひいて玉ねぎを薄く色がつくまで炒め、さらに高野豆腐と黒千石大豆を加えてさっと炒めたら、ひたひたに水を入れて 10 分くらい煮る。
4 カレールーを加え、弱火で煮溶かしてできあがり（水分が足りなくなったら水を加える）。仕上げにお好みではちみつ、醤油を入れても OK。玄米ご飯にかけて食べる。

栗いんげんのシチュー

ビーフストロガノフ風

ナッツと白味噌が
豆乳臭さを消してくれるうえ、
コクがあってマイルドな味を
醸成します。

余ったお豆の酒粕シチュー

冷蔵庫の残り物整理レシピです。
余ったお豆、野菜をたくさん入れて
具だくさんで召し上がれ。

栗いんげんのシチュー　ビーフストロガノフ風

材料

栗いんげん（茹でたもの）
…2/3 カップ

玉ねぎ…小 1 個
しめじ…1/2 パック
にんにく…1/2 かけ
オリーブオイル（またはなたね油）
…大さじ 2
水…約 1 カップ
水溶き葛粉（トロミが足りないとき）
…適宜

［A］
醤油…大さじ 1
白味噌…大さじ 1
塩…小さじ 1/4

［B］
くるみ（またはカシューナッツ、無塩）
…50g（から煎りし、すりこぎで粗く砕いておく）
豆乳…1.25 カップ

作り方

1 栗いんげんは茹でておく。
2 玉ねぎとにんにくはみじん切り、しめじは豆と同じ大きさに切る。
3 鍋にオリーブオイルをひいてにんにくを炒め、いい香りがしてきたら玉ねぎを入れ、薄いあめ色になるまで炒める。
4 しめじを入れてさっと炒め、水をひたひたになるくらいまで入れ、強火にする。
5 煮立ったら豆を入れて中火にし、混ぜ合わせたAを加えてひと煮立ちさせる。
6 その間にBをフードプロセッサーなどでクリーム状にする。
7 5の鍋に6を入れ、トロミが足りないようなら水溶き葛粉を入れる。

余ったお豆の酒粕シチュー

材料

貝豆
うずら豆
手亡
（すべて茹でたもの）
…合わせて 2/3 カップ

玉ねぎ…小 1/2 個
人参…1/4 本
じゃがいも…小 1 個
かぼちゃ…80g
ブロッコリー…1/8 株
サラダ油 …大さじ 1
油揚げ…1/2 枚
塩、コショー…各適宜

[A]
だし汁（昆布、しいたけ）…300ml
酒粕…50g

[B]
豆乳…100ml
白味噌…大さじ 1
塩…少々

作り方

1 貝豆、うずら豆、手亡はそれぞれ茹でて軽く塩をふっておく。
2 玉ねぎは 8 等分のくし形切り、人参は一口大の乱切り、じゃがいもは皮をむいて 4 等分、かぼちゃは種を取って一口大に切る。ブロッコリーは小房に切り分ける。油揚げは湯通しし、短冊切りにする。
3 鍋を熱してサラダ油を入れ、玉ねぎを薄く色がつくまで炒める。次に油揚げ、ブロッコリー以外の野菜を炒める。
4 油が野菜全体にまわったら、よく溶いた A を加えて煮る。
5 野菜がやわらかく煮えたら、ブロッコリーと豆も加えて軽く煮る。仕上げに B を加えてひと煮立ちさせたら、塩、コショーで味を調えて器に盛り付ける。

材料

中生白花豆（茹でたもの）
…2/3 カップ

玉ねぎ（薄切り）…小２個
じゃがいも（一口大）…２個
ローリエ…１枚
塩、コショー…各適宜
サラダ油…小さじ２
中生白花豆の煮汁…適宜
にんにく（薄切り）…1/2 かけ

作り方

1 白花豆は茹でておく。
2 白花豆の半量を煮汁でのばしながらペースト状にする。
3 鍋に油をひいて玉ねぎを薄く色がつくまで炒めたら、じゃがいもを加えて炒め、次ににんにくを加えて炒める。
4 ３にひたひたになるくらいに煮汁を加え、ローリエを入れて弱火で 15 分くらい煮る。
5 ひたひたくらいの水分をキープし（水気が足りなくなったら煮汁を足す）、じゃがいもが煮えたら２のペーストと残りの白花豆を加えてさらに弱火で 10 分くらい煮る。仕上げに塩、コショーで味を調えて器に盛る。

じゃがいもと白花豆のスープ

たっぷりの野菜を弱火でじっくり煮込み、
仕上げに豆のペーストを加えます。
季節の野菜を入れて召し上がれ。

具だくさん地豆のスープ

材料

栗いんげん
パンダ豆　　（すべてかた茹でしたもの）
手亡
　…合わせて１カップ

丸麦（洗っておく）…15g
人参（1cm の角切り）…1/4 本
ベーコン（1cm 幅に切る）…20g
玉ねぎ（みじん切り）…1/3 個
野菜ブイヨンの素…水３カップ分
水＋豆の煮汁…３カップ
オリーブオイル（またはなたね油）
　…大さじ２
オレガノ（ドライ）…適宜
ベビーリーフ…7 ～ 8 枚
にんにく（みじん切り）…少々
パセリ（みじん切り）…少々
バジル（みじん切り）…少々
塩、コショー…各適宜

作り方

1 栗いんげん、パンダ豆、手亡はややかために茹でておく。
2 鍋に油をひいてベーコンを炒め、脂が出てきたら玉ねぎを加えて薄く色がつくまで炒める。
3 ２に人参、水と煮汁、野菜ブイヨン、オレガノを加え、塩、コショーで味付けして中火で煮る。
4 人参がやわらかくなったら、丸麦を入れ、丸麦がやわらかくなるまで弱火で煮る。
5 豆を入れて塩、コショーで味を調え、ベビーリーフ、バジル、にんにく、パセリを加えてできあがり。

丸麦入りで
栄養バランスばっちりのスープです。
野菜はいろいろな
種類をたくさん入れましょう。

貝豆とアサリのスパゲッティ

貝豆のクリーミーな
食感はパスタソースにぴったりです。
生クリームのかわりに豆乳で
のばしてもよいでしょう。

浸水したお豆は煎ると焦げやすいので、
じっくり弱火でから煎りしましょう。
浸水しないで煎ってもOK。
カリカリした食感になります。

煎り豆のペペロンチーノ

貝豆とアサリのスパゲッティ

材料

貝豆（茹でたもの）…1/2カップ

スパゲッティ…200g
オリーブオイル
…大さじ1（アサリ）＋大さじ2
にんにく（みじん切り）…1かけ
アサリ…200g
生クリーム…大さじ2
水…大さじ1～2
白ワイン…1/2カップ
塩、コショー…各適宜
パセリ（みじん切り）…大さじ2

作り方

1 茹でた貝豆は熱いうちにフードプロセッサーでペーストにし、軽く塩、コショーをしておく。アサリは3%の塩水に30分～1時間つけ、砂抜きしておく。
2 にんにくを焦げ付かない程度にオリーブオイル（分量外）で炒め、別にしておく。フライパンにオリーブオイル大さじ1をひき、アサリを炒めて白ワインで口が開くまで蒸し煮し、軽く塩、コショーしておく。別のフライパンにオリーブオイル大さじ2をひき、ペーストにした貝豆、生クリーム、水を入れてひと煮立ちさせる。にんにくとアサリを煮汁ごと加え、塩、コショーをしてソースをつくる。
3 スパゲッティは沸騰した1%の塩水（水2リットルに対し塩20g）で歯ごたえがあるくらいに茹でる。
4 スパゲッティが茹で上がったら2のソースとからめ、最後に塩、コショーで味を調えてできあがり。器に盛り付け、パセリをトッピングする。

煎り豆のペペロンチーノ

材料

黒千石大豆（戻したもの）
…1/3カップ
間作大豆（戻したもの）
…1/3カップ

スパゲッティ…180g
鷹の爪（小口切り）…2本
にんにく（みじん切り）…2かけ
塩、コショー…各適宜
オリーブオイル…100ml
イタリアンパセリ（みじん切り）
…適宜

作り方

1 黒千石大豆と間作大豆はそれぞれ一晩浸水した後、から煎りする。
2 フライパンにオリーブオイルを熱し、豆、にんにく、鷹の爪を入れてにんにくが焦げないように弱火でじわっと火を入れ、ソースをつくる。
3 スパゲッティを沸騰した1％の塩水（水2リットルに対し塩20g）で歯ごたえがあるくらいに茹で、茹で上がったらソースとからめる。塩、コショーをし、パセリをトッピングしてできあがり。

豆をペーストにして
味噌ソースに加えたアレンジもよし。
パスタのほか、チャーハンや野菜炒めなど、
いろいろな料理に使えて便利です。

ビルマ豆の味噌ソースペンネ

材料

ビルマ豆（茹でたもの）
…1/4 カップ

ペンネ…100g
玉ねぎ（薄切り）…1/3 個
しめじ（一口大）…1/3 パック
味噌…大さじ 3
にんにく（みじん切り）…1 かけ
醤油…適宜
ビルマ豆の煮汁…約 1/3 カップ
塩…適宜
オリーブオイル…大さじ 3
万能ねぎ…適宜
みりん（お好み）…適宜

作り方

1 ビルマ豆は茹でて軽く塩をふっておく。
2 鍋にオリーブオイルをひいてにんにくを焦げないように炒め、玉ねぎを加えて薄く色がつくまで炒め、次にしめじを加える。全体に火が通ったら煮汁をひたひたになる程度に加え、その上に味噌をのせて 5 分くらい煮る。
3 ペンネは沸騰した 1%の塩水（水 1 リットルに対し塩 10g）でやや歯ごたえがあるくらいに茹でる。
4 味噌がふつふつしてきたら豆とペンネを加え、塩、醤油で味を調える。
5 小口切りにした万能ねぎをトッピングしてできあがり。
※ 甘みがほしいときは 4 でみりんをお好みで加える。

キャベツは炒めすぎないように。
シャキシャキした食感を
残してください。
塩昆布は野菜炒めに重宝します。

キャベツと手亡のスパゲッティ

材料

手亡（かた茹でしたもの）
…1/2 カップ

スパゲッティ…180g
キャベツ（ざく切り）…100g
オリーブオイル
…大さじ２＋大さじ４
にんにく（みじん切り）…1 かけ
塩、コショー…各適宜
塩昆布（せん切り）…20g
手亡の煮汁…30 ～ 40ml

作り方

1 手亡はかた茹でにして軽く塩をふっておく。キャベツをオリーブオイル大さじ２でさっと炒め、塩、コショーをする。
2 フライパンにオリーブオイル大さじ４を熱し、にんにくを焦げないように弱火で炒めていったん取り出す。
3 スパゲッティはやや歯ごたえがある程度に沸騰した 1%の塩水（水２リットルに対し塩 20g）で茹でる。２のフライパンを再び熱し、塩昆布、スパゲッティ、にんにく、手亡とキャベツ、手亡の煮汁を加え、塩、コショーしてできあがり。

大豆ミートソース

材料

大豆（かた茹でしたもの）
…1/2カップ

スパゲッティ…180g
オリーブオイル…大さじ3
にんにく（みじん切り）…1かけ
玉ねぎ（みじん切り）…1/4個
ホールトマト…1/2缶
塩、コショー…各適宜
野菜ブイヨンの素…適宜
粗挽黒コショー（お好み）…適宜

作り方

1 かために茹でた大豆をフードプロセッサーで粗く砕いておく。
2 にんにくは焦げ付かないようにオリーブオイル（分量外）で炒め、別にしておく。
3 フライパンにオリーブオイルをひき、玉ねぎを薄く色がつくまで炒め、次に大豆、にんにくを入れて炒め、最後にホールトマト、野菜ブイヨンを加えて煮詰める。
4 スパゲッティを沸騰した1%の塩水（水2リットルに対し塩20g）でやや歯ごたえがあるくらいに茹でる。
5 3の煮汁が少なくなったら塩、コショーで味付けし、茹で上がったスパゲッティを加えてからめる。お好みで粗挽黒コショーをふる。

大豆はお肉よりも脂肪が少ないので、ヘルシーです。
ドリアの材料としてもいけます。

そのままはさんでピタパンや
サンドイッチの具材に。
豆と野菜をトマトソースで煮込んで
トマトスープにも展開できます。

大豆ときのこのペンネ　トマトソース

材料

大豆（かた茹でしたもの）
…1/2 カップ

ペンネ…160g
にんにく…1 かけ
鷹の爪…2 本
しめじ（一口大）…1/2 パック
オリーブオイル
…大さじ 2+大さじ 4
ホールトマト…1/2 缶
イタリアンパセリ
（みじん切り、お好み）…大さじ 2
塩、コショー…各適宜
野菜ブイヨンの素…適宜
粗挽黒コショー（お好み）…適宜

作り方

1 大豆はかた茹でにし、軽く塩をふっておく。

唐辛子にんにくトマトソースをつくる

2 鷹の爪は種を取り除いておく。にんにくはすりおろしておく。
3 鍋にオリーブオイル大さじ 2 を熱し、しめじを炒める。別の鍋でオリーブオイル大さじ 4 を熱し、にんにくを軽く色がつくまでフライにし、いったん火を止めて鷹の爪を加える。焦げないように炒めて香りが出てきたら鷹の爪を取り出し、大豆、ホールトマト、しめじ、野菜ブイヨンを入れて強火にし、ひと煮立ちしたら塩、コショーをする。

4 ペンネは沸騰した 1%の塩水（水 2 リットルに対し塩 20g）でやや歯ごたえがあるくらいに茹でる。
5 茹で上がったペンネをソースとからめて塩、コショーで味を調え、お好みで粗挽黒コショーやパセリをトッピングしてできあがり。

お米は透明になるまで弱火で
じっくり炒めるのがポイントです。
色の濃い豆を使うと
全体に色がつきますが、
コクも出ます。

白花豆と野菜のリゾット

材料

中生白花豆（茹でたもの）
…1カップ

米…1/2カップ
玉ねぎ…1/4個
人参（1cmの角切り）…1/4本
にんにく（みじん切り）…1かけ
オリーブオイル…大さじ2
野菜ブイヨンの素…水2カップ分強
水…2カップ強
塩、コショー…各適宜

作り方

1 白花豆は茹でたら熱いうちに軽く塩をして、下味をつけておく。
2 野菜ブイヨンを分量の水で煮溶かしておく。
3 にんにくは焦げないようオリーブオイル（分量外）で炒め、別にしておく。玉ねぎはオリーブオイル（分量外）で薄く色がつくまで炒める。人参を加えてさらに炒め、にんにくを混ぜて塩、コショーしておく。
4 米は洗って水を切り、鍋にオリーブオイルをひいて透き通るまで弱火で炒め、3の玉ねぎ、人参、にんにくを混ぜてさらに炒める。
5 4にスープ2カップを加え、蓋をしないでときどき混ぜながら米がやや歯ごたえがあるくらいになるまで炊く。
6 水分が少なくなってきたらスープを少しずつ加える。炊き上がる直前に白花豆を加え混ぜる。
7 炊き上がったら火を止め、塩、コショーで味を調えてできあがり。
※ クリームリゾットにしたいときは豆をペーストにしてスープに加える。

ドレッシングはシンプルにレモンと梅干がベース。
一晩置いたほうが味がしみておいしくなります。

いんげんまめ

貝豆とマッシュポテトのサラダ

材料

貝豆（茹でたもの）…1/4 カップ

じゃがいも…2 個
玉ねぎ（薄切り）…1/4 個
塩、コショー…各適宜

＜ドレッシング＞
レモン汁…小さじ 2
オリーブオイル…大さじ 1
梅干（ペースト）…1 個

作り方

1 貝豆は茹でて軽く塩をふっておく。じゃがいもはひたひたの水で茹で、フォークで粗くマッシュし、塩をふっておく。玉ねぎは水にさらしておく。

2 ドレッシングの材料を混ぜておく。じゃがいも、貝豆、玉ねぎを合わせてドレッシングを加え混ぜ、塩、コショーで味を調える。

高野豆腐に味をしっかりしみ込ませるのがポイントです。
豆腐ドレッシングは日持ちがしないので、つくった翌日には食べきりましょう。

鞍掛豆と高野豆腐のサラダ

材料

鞍掛豆（かた茹でしたもの）
…1/3 カップ

高野豆腐…2 個
きゅうり…1/2 本
人参…20g
大根…200g
だし汁（昆布、しいたけ）
…1/2 カップ
醤油…大さじ 2
塩、コショー…各適宜

＜豆腐ドレッシング＞
木綿豆腐…1/2 丁
なたね油…大さじ 2
酢…大さじ 1
マスタード…小さじ 2
塩…小さじ 1
レモン汁…大さじ 1
にんにく…少々
醤油…少々

作り方

1 鞍掛豆はかた茹でして軽く塩をふっておく。きゅうりは 1cm 角に切り、塩をしておく。人参は 1cm 角に切り、1%の塩水で軽く湯がいておく。大根は細切りにする。
2 高野豆腐は水で戻してフードプロセッサーにかけ、だし汁、醤油で煮汁がなくなるまで煮、味をつけておく。
3 豆腐ドレッシングの材料すべてをフードプロセッサーにかけ、2と豆、野菜を混ぜ合わせ、塩、コショーで味を調える。

＜ドレッシング＞
しょうが（すりおろし）…10g
黒豆の甘煮汁…大さじ２
バルサミコ酢…大さじ２
レモン汁…適宜
オリーブオイル…大さじ２
塩、コショー…各適宜

黒豆の煮汁は滋養豊かなのでぜひ使いましょう。
黒豆といっしょにゼリー、寒天、蒸しパン、
ホットケーキなどの甘みに活用できます。

黒豆の煮汁ドレッシングサラダ

材料

黒豆の薄甘煮…2/3 カップ

レタス（ざく切り）…3 枚
きゅうり（輪切り）…1/2 本
人参（せん切り）…30g
ホールコーン（缶詰）…50g

作り方

1 黒豆は薄甘煮にしておく（P.26 参照。豆：砂糖＝1：0.8。煮汁は捨てない）。
2 ドレッシングの材料をよく混ぜ合わせる。
3 野菜と黒豆を混ぜ合わせ、ドレッシングをかけて食べる。

豆腐マヨネーズには大豆系の豆が合います。
春菊は生のまま使って
香り豊かな風味を味わいましょう。

鞍掛豆と春菊とマッシュルームの豆腐マヨネーズサラダ

材料

鞍掛豆（かた茹でしたもの）
　…1/3カップ

マッシュルーム（6つ割りくらい）
　…3個
春菊（ざく切り）…2本
アボカド（一口大）…1/4個
木綿豆腐（水きりしておく）
　…1/3丁（約100g）
梅干…1個
白味噌…小さじ1
レモン汁…小さじ1
オリーブオイル…大さじ1
練りわさび…適宜
塩…適宜

作り方

1 鞍掛豆はややかために茹で、軽く塩をふっておく。
2 豆腐と種を取った梅干、味噌、レモン汁、オリーブオイルをフードプロセッサーで攪拌し、豆、春菊、マッシュルーム、アボカド、練りわさびを混ぜ合わせて最後に塩で味を調える。

黒千石大豆のカリカリした食感が
ご飯と合います。
チャーハンの具材は冷蔵庫の残り物など
あるものをうまく利用しましょう。

豆チャーハン

材料

黒千石大豆…1/3カップ

ご飯…350g
長ねぎ（薄切り）…20g
ちりめんじゃこ…30g
ゴマ油…大さじ2
塩、コショー…各適宜

作り方

1 黒千石大豆を洗い、フライパンで弱火〜中火で表面がはじけてくるまでから煎りする。
2 中華鍋をうっすら煙が出てくるまで熱してゴマ油をひき、ご飯を強火で手早く炒める。ご飯がパラパラしてきたらちりめんじゃこ、黒千石大豆を加えて炒め、最後に長ねぎを加えたところで塩、コショーで味付けしてできあがり。

※ ポイントは強火で手早く炒めること！カリカリよりもサクサクした食感の豆がよければ一晩浸水してから煎る。

十六ささげのお赤飯

材料

十六ささげ（かた茹でしたもの）
…2/3 カップ

もち米…2 合
塩水（塩分５％）
…80ml（水 80ml＋塩４ml）

作り方

1 もち米は水がきれいになるまで洗ってざるにあけておく。
2 十六ささげは３倍の水でかためし茹でておく。
3 十六ささげの煮汁にもち米を一晩浸水させる（豆は別にしておく）。
4 さらしを敷いた蒸し器を沸騰させておく。
5 浸水したもち米の水を切り、沸騰した蒸し器に入れて 35 分蒸す。
6 いったんボールにご飯を移し、塩水をまわし入れて切るように混ぜ、全体にご飯の固まりがなくなったら十六ささげを入れ、豆の粒がこわれないように丁寧に混ぜる。
7 蒸し器を再び沸騰させ、６のご飯を移し、30 分蒸す。
8 寿司桶に水を含ませておく。
9 蒸し終わったら寿司桶に豆がこわれないように移し、濡れ布巾をかけておく。
10 器に盛り付けてできあがり。
※ 少量残ったら、経木を入れた木箱や竹の入れ物に入れておくと、そのまま蒸し器で温めなおして食べられる。

十六ささげは小豆よりも
腹割れしにくいのでおすすめです。
かために茹でた煮汁を使うのがポイント。
上品な色のお赤飯に仕上がります。

うずら豆の炊き込みご飯

材料

うずら豆（戻したもの）
…2/3 カップ

米…2 合
ひじき…20g
干し貝柱（戻してほぐす）…3 個
干ししいたけ（戻して薄切り）…2 個
だし汁（昆布）＋戻し汁（貝柱、しいたけ）
…米の 1.3 倍（2.5 カップ弱）
酒…大さじ 2
塩…小さじ 1

作り方

1 うずら豆は一晩水で戻しておく。
2 米は洗って水を切っておく。ひじきは洗って水を切っておく。
3 すべての材料を混ぜ合わせ、炊飯器で炊く。
※ 豆は炊飯器の種類によって下茹でしたほうがよい場合あり。

豆は一晩しっかり浸水するのがポイントです。
コクのある味わいにしたいときは、金時豆、紫花豆など濃い色の豆を使ってください。

前川金時の濃厚なコクが
玄米とばっちり合います。
市販のなめたけが
調味料がわりになるので簡単です。

前川金時となめたけの玄米ご飯

いんげんまめ

材料

前川金時（戻したもの）
…1カップ

玄米…2合
水…2.5カップ強
なめたけ（味付き）…1瓶
ゴマ塩（お好み）…適宜

作り方

1 前川金時は一晩水で戻しておく。玄米は洗って水を切っておく。
2 圧力鍋に玄米、水、豆、なめたけを入れて強火にかけ、圧がかかってから30分弱火で炊いてできあがり。
3 お好みでゴマ塩をふって食べる。

ビルマ豆ご飯

89歳服部ツルさんから
おそわったおかん料理。
ビルマ豆は北海道の救荒食で、
そば団子の中に塩餡として
入れて食べたりと飢えを救ってくれた
貴重な豆でした。

材料

ビルマ豆（戻したもの）
…1/2カップ

米…2合
きび…大さじ3
水…2.5カップ弱
酒…少々
塩…ひとつまみ
（またはにがりひとたらし）

作り方

1 ビルマ豆は一晩水で戻す。
2 米ときびは洗って水を切り、豆、調味料、水を加えて炊飯器で炊く。
※ 塩のかわりににがり（ひとたらし）でもよい。ご飯につやが出る。

材料

間作大豆（戻したもの）
…1/3 カップ

米…2 合
昆布（長さ 10cm）…1 枚
だし汁…米の 1.2 倍（2.2 カップ弱）
塩…小さじ 1

作り方

1 間作大豆は一晩水で戻しておく。
2 米は洗って水切りしておく。昆布は細かくはさみで刻む。
3 米に他の材料すべてを入れ、炊飯器で炊く。
※ 豆は炊飯器の種類によって下茹でしたほうがよい場合あり。

昆布入り間作大豆ご飯

小振りな豆ほど濃厚な味がします。
この間作大豆もそのひとつ。
戻さず煎ってご飯といっしょに
炊いても OK。

黒千石大豆ご飯

煎ってご飯といっしょに炊くだけで
黒千石大豆の濃厚な甘みが味わえる、
きれいな紫色のご飯です。
黒豆でも代用できます。

材料

黒千石大豆…1/2 カップ

米…2 合
水…2.5 カップ弱
酒…大さじ 1
塩…ひとつまみ
（またはにがりひとたらし）

作り方

1 黒千石大豆は洗ってから煎りしておく。
2 米を洗って水を切り、分量の水と調味料、豆を入れて炊飯器で炊く。
※ 塩のかわりににがり（ひとたらし）でもよい。ご飯につやが出る。

魚料理のときにはしょうがご飯がぴったりです。
さらに煎り大豆の香ばしい風味が食欲をそそります。
冷めてもおいしいご飯です。

青大豆としょうがのご飯

材料

青大豆（戻したもの）
…2/3 カップ

米…2 合
しょうが…30g
水…2.5 カップ弱
醤油…大さじ 2
酒…大さじ 1
塩…小さじ 1

作り方

1 青大豆は一晩水で戻しておく。しょうがは皮をむき、せん切りにする。米は洗って水切りしておく。
2 戻した青大豆をフライパンで表面がはじけてくるまでから煎りする。
3 米に水、調味料、煎り青大豆、しょうがを入れ、炊飯器で炊く。

煮豆入りいなきびご飯

材料

黒豆の甘煮…1/2 カップ

もち米…２合

いなきび…150g

塩水（塩分５％）

…80ml（水 80ml＋塩 4ml）

作り方

1 黒豆は甘煮にしておく（P.26 参照）。

2 もち米といなきびは水がきれいになるまで洗ってざるにあけておく。

3 さらしを敷いた蒸し器を沸騰させておく。

4 もち米といなきびを沸騰した蒸し器に入れて 35 分蒸す。

5 いったんボールにご飯を移し、塩水をまわし入れて切るように混ぜ、全体にご飯の固まりがなくなったら煮豆を入れ、豆の粒がこわれないように丁寧に混ぜる。

6 蒸し器を再び沸騰させ、５のご飯を移し、30 分蒸す。

7 寿司桶に水を含ませておく。

8 蒸し終わったら寿司桶に豆がこわれないように移し、濡れ布巾をかけておく。

9 器に盛り付けてできあがり。

黒木孝子さんからおそわったおかん料理です。
煮豆の種類はなんでも OK。
むかし、もち米がないときは
もちきび 100%でつくったそうです。
いなきびはもちもち感の強い国産に限ります。

豆味噌はねぎをたっぷり入れるのがポイント。
これは浅草の郷土食で、むかしは納豆屋さんで売っていたそうです。
ご飯がすすみます。

青大豆の煮汁入りおかゆ
豆味噌トッピング

材料

青大豆（かた茹でしたもの）
…2/3 カップ
黒千石大豆（かた茹でしたもの）
…1/4 カップ

米…1 カップ
水…3 カップ
だし汁…2 カップ
豆の煮汁…適宜

［A］
長ねぎ（みじん切り）…1/3 本
味噌…小さじ 2
醤油…小さじ 1/2
砂糖…小さじ 1/2
かつおぶし…3g
塩…適宜

作り方

1 青大豆と黒千石大豆はそれぞれかためにに茹でておく。
2 米を洗って水を切っておく。
3 鍋に米と水とだし汁を入れて火にかけ、沸騰したら弱火で 45 分炊く。途中で水が足りなくなったら煮汁を足す。炊き上がる直前に青大豆を入れて火を止め、蒸らす。

豆味噌をつくる

4 黒千石大豆と A の材料をすべて混ぜ合わせ、おかゆのトッピングにする。

いろいろな豆をたっぷりミックスして
カラフルにつくりましょう。
つくりおきして冷凍保存しておくと便利です。

豆おにぎり

材料

青大豆
大豆
紫花豆
（すべて茹でたもの）
…合わせて１カップ

べにはないんげん

米…２合
水…2.5カップ弱

作り方

1 青大豆、大豆、紫花豆はそれぞれ茹でて、軽く塩（分量外）をふっておく。
2 米を洗って水を切り、水を加えて炊飯器で炊く。炊き上がったご飯に豆の粒がこわれないように混ぜ、おにぎりをつくる。

ご飯やおにぎりだけでなく、
サラダや野菜炒めにふりかけるもよし。
常備しておきたい一品です。

大豆のふりかけ

材料

大豆（かた茹でしたもの）
…1/2カップ

だいず

かつおぶし…15g
砂糖…大さじ１
醤油…大さじ１
白煎りゴマ…大さじ１

作り方

1 かた茹でした大豆をフードプロセッサーで粗く砕き、から煎りする。
2 醤油、砂糖、かつおぶし、白ゴマは、合わせてすりこぎですり、大豆に加えて焦がさないようにさらに煎り、ご飯にふりかけたりおにぎりにまぶしたりして食べる。

遠軽町の 地豆暦 ……………3

10月中旬～下旬　脱穀

さやから実をはずす作業が脱穀です。機械で脱穀するほか、量が少ない場合は唐《から》竿《さお》で叩いたり車で轢いたりして実をはずしています。唐竿は手動の脱穀機で、機械化される前はこれを使っていました。機械よりも実が割れにくいという利点があります。豆は割れてしまうと規格外のもったいない豆（２番豆）になってしまいますが、実入りのいい豆ほど割れやすく、じつはおいしい豆なのです。

今では希少な
手動式の「唐箕」

11月～12月　調整、選別

とれたての豆は豆殻や枯れた葉や小石にまみれています。こういった不純物をなくす作業を調整といいます。「唐箕《とうみ》」という簡易的な機械にかけます。豆の粒を揃えるために網で振るい落とすのですが、同時に機械で起こす風でゴミを飛ばしていきます。

また二人一組になり「とおし」で網を揺すりながらふるい分けていきます。そのあと最終工程の手選《てよ》りに入ります。唐箕で選別した豆には、まだ割れ豆、未熟豆、虫食い豆、小石、小粒の豆などが混ざっているので、これを人の手で選り分けていきます。その際、ひときわ元気のよさそうな豆は、翌年の種にとっておきます。ただ在来種の豆はすべて種なので、種用として特別に選ぶことはあまりなく、良品を種にする農家が多いようです。粒の大きい花豆はまだいいのですが、小豆など小さい粒は選るのがたいへんです。大半の農家は手選別を外部委託していますが、在来種の豆農家では、12月になると豆の注文が急に増えるので家族総出で豆選りに追われます。こうしてようやく当店に納品され、袋詰めにして出荷されます。手選りを経て出るもったいない豆は、味は良品と変わらずおいしいので農家の自家用になったり、セール価格のもったいない豆としてお客様の手に渡ります。

もったいない豆

豆

豆の甘味とおやつ

「餡のつくり方」

フードプロセッサーでつくる簡単＆おいしい餡を紹介します。
砂糖などの量は調節してお好みの甘さにしましょう。
できあがりの分量は約300gになります。
いろんなおやつにアレンジして使ってみましょう。

小豆餡

材料

小豆…100g

昆布（3cm角）…1枚

水…適宜

砂糖…80g

塩…少々

作り方

1 小豆と昆布を鍋に入れ、水を小豆より2～3cm上まで加えて蓋をしないで強火で煮る（小豆の生臭みを飛ばすため。水分が足りなくなるので差し水を忘れずに）。5～10分たって小豆のよい香りがしてきたら、蓋をして弱火でコトコト煮る。途中水が足りなくなったら水を足す。表皮は水が少ない

※砂糖の量は好みで調節して（豆＜乾燥＞：砂糖＝1:1が標準です）。

小豆は浸水しないで煮ましょう。
「豆：砂糖＝1：0.8」で甘さやや控えめにしました。
昆布を入れると栄養バランスがよくなるので、
取り出さずにいっしょに餡にします。

としわしわになったり、空気に触れるとはがれてしまうので、常にかぶるくらいの水分量をキープする。落とし蓋や半紙やキッチンペーパーをかぶせて煮るとよい。小豆がやわらかくなったら（指で軽くはさんでつぶれる程度）煮汁をひたひたよりもやや少なめに減らし、砂糖を入れて煮詰める。

2 フードプロセッサーで攪拌する。

3 2を鍋に戻し、弱火で丁寧にかき混ぜながら水っぽさがなくなるまで煮詰め、最後に火を止めてから塩を入れる。かたい餡がよければ煮詰める時間を長くして水分を飛ばす。

※ 小豆は煮ると、種類や煮方にもよるが約2.3倍になる。

レーズンやデーツなどの
ドライフルーツは甘みづけとして
砂糖のかわりに使えます。
赤ワインに漬けたのを使うと
ちょっと洋風に仕上がります。

小豆レーズン餡

材料

小豆…100g

昆布（3cm角）…1枚
水…適宜
レーズン（細かく刻む）…100g
塩…少々

作り方

1 小豆と昆布と水、細かく刻んだレーズンを鍋に入れて火にかける。沸騰したら小豆がやわらかくなるまで弱火でコトコト煮る。
2 以下、小豆餡（P.112）の工程2、3と同様。

※ ポイントは小豆餡と同じ。

メープルシロップやメープルシュガーは
やさしい甘さに仕上がります。
あっさり系の豆にぴったりです。

貝豆メープル餡

材料

貝豆…100g

メープルシロップ…100g
水…適宜
塩…少々

作り方

1 P.26を参照して貝豆の甘煮をつくる（砂糖のかわりにメープルシロップを使用）。
2 以下、小豆餡（P.112）の工程2、3と同様。

100%果汁を使うこと。
他のフルーツジュースで試してもOK。
甘みが足りないときは
同じフルーツのジャムを使うと
よいでしょう。

手亡りんごジュース餡

材料

手亡…100g

りんごジュース…200ml＋α
水…200ml
りんごジャム…適宜
塩…少々

作り方

1 P.26を参照して手亡の甘煮をつくる。りんごジュース200mlと水でやわらかくなるまで煮て、甘さをみながら砂糖のかわりにりんごジャムを加え、さらに煮詰める。
2 以下、小豆餡（P.112）の工程2、3と同様。

※差し水もりんごジュースで。

餡は黒豆、大豆など大豆系で
つくってもおいしい。
大豆のもつ濃厚な味が特徴です。

青大豆餡

材料

青大豆…100g

水…適宜
砂糖…80g
塩…少々

作り方

1 P.26を参照して青大豆の甘煮をつくる。
2 以下、小豆餡（P.112）の工程2、3と同様。

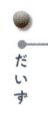

「変わり餡」3種

ナッツやゴマを混ぜたり、
洋風餡も簡単につくれます。

ラム酒は餡との相性抜群。
パンケーキにはさむもよし、
アイスクリームやヨーグルトに
トッピングするもよし。

前川金時ラム酒餡

練りゴマの風味が
小豆の味をさらに
引き立てます。

練りゴマ入り小豆餡

くるみのほか、カシューナッツ、
アーモンドなど餡にナッツを加えると、
さらに深いコクが生まれます。

虎豆くるみ餡

虎豆くるみ餡

材料

虎豆…100g

水…適宜

砂糖…80g

くるみ…50g

塩…少々

作り方

1 P.26を参照して虎豆の甘煮をつくる。くるみはから煎りして粗く砕く。

2 フードプロセッサーにかけて鍋に戻し、煮詰める工程までは小豆餡（P.112）と同じだが塩は入れない。餡が8割方できあがったらくるみを入れてさらに煮詰める（煮すぎないように）。

3 水気がやや残るくらいで火を止めて塩を入れ、混ぜる。

前川金時ラム酒餡

材料

前川金時…100g

水…適宜

砂糖…80g

ラム酒…大さじ1/2

作り方

1 P.26を参照して前川金時の甘煮をつくる。

2 以下、小豆餡（P.112）の工程2、3と同じだが塩は入れない。仕上げにラム酒を入れる。

練りゴマ入り小豆餡

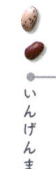

材料

小豆…100g

水…適宜

昆布（3cm角）…1枚

砂糖…80g

白練りゴマ…大さじ1

塩…少々

作り方

工程は小豆餡（P.112）と同じ。仕上げに塩とともに練りゴマを加え混ぜる。

「煮豆にトッピング」

1

甘く煮た豆
（分量すべて 2/3 カップ）に
いろいろなトッピングをしたおやつ。
甘煮のつくり方は
「豆料理の基本」（P.26 〜 27）を
参照してください。

1 紅しぼりの メープルシロップがけ

材料と作り方

紅しぼりの薄甘煮にメープルシロップ大さじ 1 をかける。

2 うずら豆の練りゴマきなこ

材料と作り方

白練りゴマ小さじ 2 にきなこ大さじ 1、うずら豆の甘煮汁大さじ 1 を加えて混ぜ、うずら豆の甘煮にトッピングする。

3 白花豆の糖蜜きなこがけ

材料と作り方

1 砂糖大さじ 2 と水 60ml を鍋に入れて弱火で煮詰め、糖蜜をつくる。
2 中生白花豆の薄甘煮にきなこ適宜をふりかけ、さらに糖蜜をかけてできあがり。

2

3

4　黒豆のクリームチーズ和え

材料と作り方

クリームチーズ30gとはちみつ小さじ1/4を混ぜ、黒豆の甘煮を粒がこわれないように混ぜる。

5　前川金時の甘酒ペースト

材料と作り方

前川金時の甘煮汁少々、甘酒1/2カップ、豆乳1/2カップ、レモン汁大さじ1を火にかけ、沸騰する直前に葛粉小さじ2を同量の水で溶いたものでトロミをつけ、前川金時の薄甘煮を和える。赤ワインに漬けたレモンの皮をトッピングする。

6　黒豆の豆乳クリームがけ

材料と作り方

1 豆乳1/2カップを火にかけて沸騰したらメープルシロップ大さじ1を混ぜ、葛粉小さじ2を同量の水で溶いたものでトロミをつけ、最後に塩ひとつまみを入れる。

2 黒豆の薄甘煮に1をトッピングする。

7　紫花豆の豆乳ホイップがけ

材料と作り方

豆乳40mlを火にかけ、沸騰しない温度を保ちながらハンドミキサーなどでホイップし、紫花豆の甘煮にトッピングする。

黒豆の甘煮汁かき氷

材料

青大豆餡（P.115 参照）…適宜

前川金時の甘煮…適宜

紅しぼりの甘煮…適宜

黒豆の甘煮汁…適宜

氷…適宜

作り方

かき氷と煮豆、餡を器に盛り、煮汁をシロップとしてかけてできあがり。

夏のおやつといえばかき氷。
餡や煮豆をトッピングして、
黒豆の甘煮汁を
シロップがわりにかけます。

白玉あんみつ

材料

前川金時ラム酒餡（P.117参照）
…適宜

うずら豆の甘煮…適宜

黒豆の甘煮…適宜

棒寒天…2/5本

水…200ml＋α（白玉用）

白玉粉…30g

メープルシロップ…適宜

作り方

1 寒天をたっぷりの水に30分くらいつけて戻す。鍋に水200mlを入れて沸かし、寒天を小さくちぎって加えて弱火で煮溶かし、流し箱に入れて冷やし固める。固まったら1cmくらいのさいの目に切る。

2 白玉粉に水を少しずつ加え、耳たぶくらいのかたさになったら、8個に丸めて、たっぷりの熱湯に入れて茹でる。浮いてきたら冷水にとる。

3 器に寒天、白玉、煮豆、餡を盛り、メープルシロップをかけてできあがり。

豆の甘煮や餡を数種類つくったら、
白玉や寒天などとお好みで合わせて
あんみつパーティはいかがでしょうか。

希少品種でつくるおはぎです。
濃厚な黒小豆と淡白な白小豆。
対照的な味わいを堪能してください。

黒小豆と白小豆のおはぎ

材料

黒小豆餡…1カップ
白小豆餡…1カップ

玄米…2合
もちきび…40g
水…3カップ
塩（玄米を炊くとき用）
…小さじ1/2強
塩水…適宜

作り方

1 黒小豆、白小豆の餡をつくっておく。つくり方はP.112の小豆餡と同じ。
2 玄米ともちきびは浸水しないでさっと洗ったら塩を加えて圧力鍋で炊く（炊き方はP.99の「前川金時となめたけの玄米ご飯」参照）。蒸らしたらすり鉢に移し、塩水をふりかけながら半搗きにする。
3 玄米ご飯を丸めて外側に餡をまぶしてできあがり。

山形出身の黒木孝子さんからおそわりました。
かたくなったら揚げるかフライパンで焼くと
香ばしい団子になります。

そばはっとう団子

材料

前川金時の甘煮…1/3 カップ

そば粉…1 カップ
熱湯…1 カップ
塩…少々

<タレ>

白練りゴマ（本来はエゴマ）
…大さじ 3
だし汁…大さじ 3
前川金時の甘煮汁…適宜
醤油…適宜

作り方

1 そば粉に塩少々と煮豆をさっくり混ぜ、熱湯を注いで耳たぶくらいのかたさにする。
2 練りゴマ、だし汁、煮汁、醤油をすり鉢ですり、タレをつくる。
3 鍋に湯を沸かし、1 を 3 ～ 4cm 大に指の跡がつくように握って落とし、浮いてきたら盆ザルにあけ、タレをかけて食べる。

抹茶どら焼き
(白花豆練りゴマ餡と豆乳クリーム小豆餡)

材料

＜白花豆練りゴマ餡＞

白花豆餡…1/2カップ
(P.117の「練りゴマ入り小豆餡」の小豆を中生白花豆に替えて参照)

＜豆乳クリーム小豆餡＞

小豆餡（P.112参照）…1/2カップ
豆乳クリーム（P.119参照）…適宜

＜どら焼きの皮＞

［A］

薄力粉…150g
抹茶粉末…小さじ1
ベーキングパウダー…小さじ1

［B］

メープルシロップ…大さじ2～3
塩…ひとつまみ
豆乳…1カップ

サラダ油…大さじ1/2

作り方

1 薄力粉はふるいにかけておく。Bを混ぜ合わせておく。2種の餡、豆乳クリームはそれぞれつくっておく。
2 Aを合わせてBを入れ、さっくり混ぜる。
3 フライパンに油を薄くのばして弱火にかけ、2を流し入れてホットケーキを焼くように両面を焼く。ふたをして蒸し焼きにするとふっくら焼ける。
4 生地が焼けたら餡をはさむ。豆乳クリームは小豆餡にのせてはさむ。

蒸しパンの中に入れたり、
トーストにぬったりして利用できます。
味付けなしの餡を小分けに冷凍しておき、
その都度、砂糖や白ゴマなどを入れて
好みの餡をつくるとよいでしょう。

小豆だけが餡ではありません。
金時、大豆だって餡になるのです。
いろいろな餡からお汁粉もできます。

あんこ餅3種（青大豆、黒豆、前川金時）

材料（3人分）
青大豆餡（P.115参照）
…1/2カップ
黒豆餡…1/2カップ
前川金時餡…1/2カップ

切り餅…3切れ

作り方
1 豆3種の餡をつくっておく。黒豆餡と前川金時餡はP.26を参照して甘煮をつくり、以下、P.112の小豆餡の工程2、3と同様にする。
2 餅は湯に入れてやわらかくしておく。
3 餅に餡をのせてできあがり。

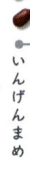

黒豆の煮汁に豆乳あるいは
牛乳を加えて
黒豆ラテもよいでしょう。

黒豆ゼリー

材料（4個分）

黒豆の甘煮…80 g
（トッピング用に数粒別にしておく）

赤ワイン…50ml
黒豆の甘煮汁…60ml
水…100ml
棒寒天…1/3 本
レモン汁…適宜

作り方

1 棒寒天をたっぷりの水に30分くらいつけて戻して小さくちぎっておく。黒豆の煮汁、水を鍋に入れて火にかけ、沸騰したら棒寒天を入れて弱火で煮溶かす。
2 寒天が溶けたら黒豆、赤ワイン、レモン汁を加えて器に移し、粗熱を取って冷蔵庫で冷やす。
3 固まったら黒豆をトッピングしてできあがり。

煮豆が残ったら餡や羊羹に展開できます。
粒餡のように豆の粒をあえてくずさず
食感を残したほうがおいしい。

栗蒸し羊羹

材料（4人分）

前川金時餡…1カップ

前川金時の甘煮…60g

片栗粉…10g

薄力粉…15g

水…1/4カップ

塩…少々

栗の甘露煮…6粒

作り方

1 前川金時餡をつくっておく（工程はP.112の小豆餡と同じ。豆は水で戻してから煮る）。薄力粉と片栗粉は混ぜておく。栗2粒は飾り用に半分に、ほかは5mm角くらいに切っておく。

2 前川金時餡と水、片栗粉、薄力粉、塩をよく混ぜ、前川金時の甘煮と角切りにした栗を混ぜ合わせる。

3 2をクッキングシートを敷いた型に入れ、沸騰させた蒸し器に入れて布巾で包んだ蓋をし、10分蒸す。いったん取り出して上に飾り用の栗を押し込むようにトッピングし、再び10分蒸してできあがり。

黒千石大豆のかりんとう

材料

黒千石大豆の甘煮…1/3 カップ

薄力粉…100g ＋α（打ち粉用）
重曹…小さじ 1/2
砂糖…大さじ 1
塩…少々
水…40ml
ゴマ油…小さじ 2
揚げ油（サラダ油）…適宜

＜からめ液＞

黒千石大豆の甘煮汁…100ml
砂糖…適宜
水…適宜

作り方

1 薄力粉と重曹、砂糖、塩、ゴマ油、黒千石大豆を混ぜ合わせ、水を入れて練る（練りすぎないように）。
2 生地をまとめて 30 分〜 1 時間寝かせる。
3 のし台に打ち粉をふり、生地を 5mm の厚さにのばして 5mm 幅の棒状に切り、180℃くらいの揚げ油で揚げる。
4 からめ液の材料を煮詰めて、3 にからめる。
※ からめ液をからめず塩をまぶしてもおいしい。

生地に混ぜる豆は小振りなものがよいでしょう。
小豆、手亡、間作大豆がぴったりです。

きなこ飴

材料

黒千石大豆…1/3 カップ

きなこ…100g ＋α（打ち粉＋まぶし粉）
黒糖（粉）…100g
水飴…90g
バター…10g
白練りゴマ…大さじ 1

水飴がグツグツしてきたら手早くこね混ぜるのがポイントです。
冷めるとかたくなってしまうので注意。

作り方

1 黒千石大豆は表面がはじけてくるまで弱火〜中火でから煎りする。バターをフライパンに溶かして黒糖を炒める。
2 炒めた黒糖に水飴を入れて混ぜて煮溶かし、グツグツ煮立ってきたら火を止め、きなこ 100g、練りゴマ、黒千石大豆を手早く加えて混ぜる。
3 まな板にきなこを打ち粉し、熱いうちに 2 を広げてこねる。
4 適当な太さの棒状にのばし、15 分くらい冷ます。
5 少しかたくなったら適当な長さに切り、きなこをまぶしてできあがり。
※ 冷めすぎると切れなくなるので注意。

とても簡単なので忙しい朝の食事にも
ぴったりです。
フルーツをトッピングしても good。

黒千石大豆のグラノーラ　豆腐クリームがけ～ヨーグルト風

材料

黒千石大豆…1/3 カップ

グラノーラ（またはお好みのシリアル）
…50g
くるみ…10g
パンプキンシード…10g
レーズン（細かく刻む）…10g
干しあんず（細かく刻む）…10g

[A]豆腐クリーム
木綿豆腐…70g
レモン汁…大さじ 1/2
砂糖…大さじ 2
塩…ひとつまみ

作り方

1 黒千石大豆はフライパンで表面がはじけてくるまで煎る。
2 くるみとパンプキンシードもから煎りする。
3 Aをフードプロセッサーで混ぜて豆腐クリームをつくる。
4 器にグラノーラ、ドライフルーツ、1と2を盛り、豆腐クリームをかけてできあがり。
※ 甘みが足りないときは豆の甘煮汁やはちみつ、メープルシロップをかける。

大豆と葛粉でつくる
ナチュラルスウィーツ。
大豆の皮を取り除くと
なめらかな食感に
なります。

大豆のブラマンジェ

材料（6個分）

大豆（茹でたもの）…2/3カップ

葛粉…大さじ2

水（葛粉用）…大さじ2

豆乳…1カップ

きなこ、メープルシロップ（お好み）
…適宜

＜蜜＞

水…1/2カップ

砂糖…80g

作り方

1 大豆は茹でて薄皮を取り除く。葛粉は水で溶いておく。

2 鍋に水と砂糖を入れて煮立て、蜜をつくっておく。

3 大豆と豆乳をフードプロセッサーにかけてなめらかにし、火にかけて温める。

4 3に蜜を加え、さらに水溶き葛粉を入れて丁寧に混ぜ、トロミがついてきたら器に入れて粗熱を取り、冷蔵庫で冷やす。

5 好みできなこやメープルシロップをかけてできあがり。

豆のスコーン

材料（7～8個分）

さくら豆の甘煮…1/2カップ

サラダ油…1/4カップ
砂糖…大さじ2
豆乳…大さじ2～3
片栗粉（打ち粉用）…適宜

［A］
強力粉…1カップ
ベーキングパウダー…小さじ1

作り方

1 ボールにAをふるい入れて砂糖を加え、粉を手でもみながら油を少しずつ加えていく。
2 1に豆乳を少しずつ加え、少し粘りがある程度に練る(練りすぎない)。やわらかすぎたら強力粉(分量外)を加える。
3 のし台に打ち粉をふり、2を厚さ2cmにのばし、その上に豆をトッピングして7～8等分に切る。
4 180℃に熱したオーブンで15分くらい焼いてできあがり。

黒千石大豆入りかぼちゃのクッキー

材料（直径3～4cm15枚分）

黒千石大豆…1/2カップ

パンプキンシード…10g
かぼちゃのわた…60g
レーズン（細かく刻む）…30g
オリーブオイル…大さじ2
薄力粉…100g
塩…適宜
水（または豆乳）…適宜
シナモンパウダー…適宜

作り方

1 黒千石大豆はフライパンで煎る。
2 パンプキンシードも煎って、刻んでおく。
3 かぼちゃのわたも細かく刻んでおく。
4 薄力粉はふるいにかけておく。
5 ボールに薄力粉以外の材料を入れて混ぜ合わせ、次に薄力粉を加え、さっくり混ぜる。
※ 水(または豆乳)の量でやわらかさを調節する。
6 5の生地を丸め、180℃に熱したオーブンで15分くらい焼いてできあがり。
※ かぼちゃを小さく刻み、わたといっしょに生地に練り込んでもよい。

豆乳ホイップをかけたり、
いろいろな豆の変わり餡を
つけてもおいしい。

大豆系の豆なら
ほかでも代用可。
かぼちゃのわたの有効活用法。
クッキーやスコーンの生地に
練り込むのは一案です。
青臭さをシナモンで
消します。

皮もやわらかくておいしいさくら豆を
かわいくトッピング。
豆はプリンの中に入れても
よいでしょう。

さくら豆のせ甘酒プリン

材料（4人分）

さくら豆の甘煮…1/2カップ

甘酒…1カップ
豆乳…1カップ
葛粉（または粉寒天）…大さじ2
水（葛粉用）…大さじ2
レモン汁…大さじ2
さくら豆の甘煮汁または
　メープルシロップ（お好み）
　…適宜

作り方

1 甘酒、豆乳を火にかけて、沸騰する直前に水で溶いた葛粉（または粉寒天をそのまま）を加えてトロミをつけ、仕上げにレモン汁をたらす。
2 1を器に盛り、豆をトッピングしてできあがり。甘みが足りないときは甘煮汁かメープルシロップをかける。

お豆シャーベット

材料（4人分）

紅しぼり（茹でたもの）…1カップ

ココナッツミルク…1/2缶
白練りゴマ…小さじ1
砂糖…適宜

作り方

1 紅しぼりは茹でておく。
2 すべての材料をフードプロセッサーでなめらかにして、型に流し、冷凍庫で冷やし固める。

紅しぼりはあっさりした味ですが、
色の濃い豆を使うとさらにコクが出ます。

パンダ豆の模様を残したければ
かためにに煮ましょう。

パンダ豆の蒸しパン

材料（口径5cm のプリン型5～6個分）

パンダ豆の甘煮…2/3 カップ

［A］

水…150ml

パンダ豆の甘煮汁…約 50ml

［B］

薄力粉…2 カップ

ベーキングパウダー…小さじ 2

塩…小さじ 1/2

作り方

1 B の材料をふるいにかけておく。

2 B に A と豆の甘煮を加え、豆がこわれないようにゴムベラで切るように混ぜ合わせる。

3 プリン型に紙カップを敷き、生地を流し入れる。蒸し器を沸騰させ、ふきんで包んだ蓋をして強火で 20 分蒸す。

※ 甘みは煮汁の量で調節する。

黒豆の甘煮の活用法です。
はちみつのかわりに黒豆の
甘煮汁を使うのがポイントです。

黒豆フレンチトースト

材料

黒豆の甘煮…1/3 カップ

食パン…2 枚
豆乳…1 カップ
バター…小さじ 1
黒豆の甘煮汁…適宜
シナモンパウダー…適宜

作り方

1 食パンを食べやすい大きさに切り、豆乳に 10 分くらい浸す。
2 フライパンにバターをひき、パンを入れて軽く焦げ目がつくまで焼いて器に盛る。
3 甘煮汁をかけ、黒豆とシナモンをトッピングして食べる。

りんごの甘みでつくるスウィーツ。
さらに煮詰めてタルトの材料に
使ってもよいでしょう。

お豆とりんごのコンポート

材料

手亡…1/4カップ

りんご…1個

りんごジュース

…豆煮用150ml

＋りんご煮用200ml

水…150ml

りんごジャムまたは砂糖（お好み）

…適宜

塩…適宜

シナモンパウダー…適宜

作り方

1 りんごを16等分にし、塩をふっておく。

2 水で戻した手亡をりんごジュース150mlと水で煮る。途中煮汁が足りなくなったら水（分量外）を足す。

3 別の鍋にりんごジュース200mlとりんごを入れ、りんごがやわらかくなるまで弱火で煮る。

4 3に豆を汁ごと加え、甘みが足りないときはりんごジャムか砂糖を加える。最後に塩を加えてできあがり。器に盛ってシナモンをトッピングする。

中の具材は残り物のおかずで
いろいろつくりましょう。
キムチや漬物を細かく刻んで
入れるのもよし。

おやき２種（卵の花、揚げ大豆のひじき煮）

材料（16個分）

＜皮＞

中力粉…300g

上新粉…30g

水…200ml

塩…少々

サラダ油…適宜

＜具材＞

卵の花…適宜

揚げ大豆のひじき煮（P.51参照）
…適宜

片栗粉（打ち粉用）…少々

作り方

1 中力粉、上新粉、水、塩を混ぜ、耳たぶくらいのやわらかさになったら丸めて30分くらい寝かせる。

2 のし台に打ち粉をふり、1を16等分してのばし、具材を入れて丸め、沸騰させた蒸し器で10分蒸す。蒸し上がったら油をひいたフライパンでこんがり焦げ目がつくまで焼く。

卵の花

材料

おから…100g

玉ねぎ（みじん切り）…1/4個

人参（せん切り）…20g

こんにゃく（細切り）…30g

ごぼう（ささがき）…30g

長ねぎ（小口切り）…20g

干ししいたけ（戻して薄切り）…2個

だし汁（昆布、しいたけ）…150ml

醤油…大さじ2

みりん…大さじ2

砂糖…小さじ2

酒…大さじ1

塩…適宜

サラダ油…少々

作り方

1 鍋に油をひいて玉ねぎを薄く色がつくまで炒める。次にごぼう、しいたけ、人参、こんにゃくを炒め、軽く塩をする。

2 次におからを加えてパラパラになるまで炒めたら、だし汁、調味料を加えて煮汁がなくなるまで煮詰める。

3 最後にねぎを入れてさっと炒め、塩で味を調えてできあがり。

豆入りキッシュ

豆と野菜のたっぷり入ったベジキッシュ。
ポイントは豆腐をしっかり水切りすること、
野菜を炒めるとき塩、コショーで
しっかり下味をつけておくことです。

材料（直径20～24cmのタルト型1台分）

鞍掛豆（かた茹でしたもの）

…1/3カップ

青大豆（かた茹でしたもの）

…1/3カップ

玉ねぎ（粗いみじん切り）…1個

にんにく（薄切り）…1かけ

チンゲン菜（ざく切り）

人参（1cmの角切り）

かぼちゃ（1cmの角切り）

…野菜合わせて2カップ

塩、コショー…各適宜

サラダ油…適宜

＜タルト生地＞

薄力粉…1.5カップ

塩…小さじ1/4

オリーブオイル…1/4カップ

水…1/3カップ

＜豆腐のフィリング＞

木綿豆腐…2丁（600g）

オリーブオイル…大さじ1

葛粉…大さじ1

白味噌…大さじ1

梅干（種を取る）…1個

酢…小さじ1

作り方

下準備

1 鞍掛豆と青大豆はかためにに茹でておく。

2 豆腐は水切りしておく。

タルト生地をつくる

3 粉、塩をふるいにかけ、オリーブオイルを少しずつ加えて手でもむように粉になじませる。

4 水を加え、こねないように混ぜる。

5 タルト生地をのばして型に敷き、冷蔵庫で30分寝かせる。

野菜と豆を炒める

6 フライパンにサラダ油をひいて玉ねぎを薄く色がつくまで炒め、にんにくを入れてさらに炒める。

7 他の野菜と豆も加えて炒める。

8 塩、コショーで味付けし、冷ましておく。

仕上げる

9 豆腐のフィリングの材料をフードプロセッサーでクリーム状にする。

10 炒めた野菜と9を混ぜ合わせ、タルト生地に流し入れて表面を平らにし、180℃に熱したオーブンで40分くらい、焼き色がつくまで焼く。

11 焼き上がったら表面にサラダ油を塗ってつやを出し、冷まして切り分ける。

遠軽町の豆を育てる人々

服部行夫さん
ツルさん

本金時、黒豆、黒千石大豆、ビルマ豆、鞍掛豆 etc. を栽培

行夫さん、ツルさんともに80代。まさに遠軽町の在来種の豆を掘り起こしてくれたいちばんの功労者です。服部さんご夫婦なくして遠軽の地豆が日の目を見ることはなかったでしょう。毎年10種類近くもの豆をつくっていることから遠軽の農業試験場と呼ばれています。在来種の豆を自家用で食べるためにつくっていることを体現している数少ない農家で、生き字引的存在でもあります。豆の種類が多いと機械で脱穀するにはそれぞれの量が少なすぎるため、唐竿《からさお》で叩いたり、カラカラに乾燥した豆を車で轢いて脱穀しています。馬を飼い馬糞を肥料にしており、馬の飼料であるエンバクも自家製。またツルさんのおかん料理はどれも豪快で、一見大雑把そうに見えてとてもこまやかな味わいがあります。特にツルさんの漬ける切り漬け（ポンたらというたらの干物とキャベツ、人参、しょうがを漬けたもの）や鞍掛豆のひたし豆は絶品です。

堀江 公さん
浪子さん

前川金時、紅しぼりを栽培

公さん60代、浪子さん50代。もと兼業農家で農作業はおもに浪子さんの担当です。ひまわりやきからしの緑肥で育て、畑に雑草が生えているのを見たことがないくらい常に畑はきれいに整備されていますが、もちろん除草剤は一度も使ったことがありません。前川金時はコクが強い野性味のある在来種で、肥料をやりすぎると余分な肥料は煮たときにアクとなって不要なものとして出てきますが、堀江さんの前川金時はコクがあってもアクが出るということは今までありません。根強い前川金時ファンは堀江さんの豆で生まれたといっても過言ではないでしょう。むかしエンバクを緑肥にしていた頃、野菜は冬場土に埋めてその上にエンバク殻をかぶせて保存したそうです。またねぎは土のついたまま、紙袋に土を入れ、その中に半分埋めるように立てて保存するとよいことを浪子さんからおそわりました。

在来種の豆のつくり手は、
当店と数十年来お付き合いのあるほぼ60代以上の元気なおとん、おかんたちです。
特に家族の食事を切り盛りしてきたおかんたちには
在来種の豆づくりの功労賞を捧げるに値します。
そのくらい在来種の豆は生活に密着した存在だったのです。

佐藤英二さん
文子さん

中生白花豆、前川金時を栽培

60代。有畜農業を営んでいます。後継者がいる数少ない在来種の豆農家です。お客様からこんな電話をいただきました。「からだを壊し、有機野菜や自然農法、農薬・化学肥料不使用の野菜など、ありとあらゆる素性のわかる良質な食材を選んで食べてみたもののどれも受け付けず、最後の頼みの綱としてべにやさんの中生白花豆を食べてみたらすっとのどを通った。特別なつくり方をしているのでしょうか」。このかたは1年分の中生白花豆をお買い上げになり、なんと豆のために冷蔵庫まで購入されました（農薬を使わない豆は虫がわきやすいため）。「つくるのに手間はかかるけれど豆には肥料はほとんど必要ない。やりすぎると逆にいい豆ができんのだ」と英二さん。豆のおいしさや質のよさは長い経験から体得している技術の賜物なのです。

平間正一さん
静枝さん

貝豆、前川金時、十六ささげetc.を栽培

正一さん70代、静枝さん60代。国道沿いに自らの直売所を出すなどしています。静枝さんの肝っ玉母さんぶりには太陽のような底抜けの明るさとたくましさがあります。静枝さんは若い頃ダンプの運転手の経験もあるとか。平間さんはじめ在来種の豆の農家では食べるものはほぼ自給自足に近い生活を送っており、基本的に自分が食べているものを販売しています。また静枝さんは豆、野菜、魚のいわゆる規格外品からつくるもったいない料理の達人でもあります。大きな鍋いっぱい、もったいない豆からつくるオリジナルの餡、近くの漁師からおすそ分けしてもらった赤ハラなどの雑魚（もったいない豆同様流通にのらない魚）をミンチにしたハンバーグは絶品です。またカレイのひれは煮付け、ほっけの頭（いちばん栄養があるそう）は焼き魚にしていただくそうです。雑魚は大鍋で煮てから天日乾燥し、畑の肥料にもしています。食べ物を捨てずに活かしきる姿勢はこのように生活の随所に貫かれています。

前川金時でつくるなつかしのおやつ

ばたばた焼き

末粉でんぷんでつくるもっちりした食感と
ほんのり甘じょっぱい味がなつかしい。

熱くなったストーブの上に生地を直接流すとき、バタバタバタッと焼ける音がしたことからこの名前がつきました。「でんぷん団子」「流し団子」とも呼ばれ、むかし小腹が空いたときのおやつとして北海道の人びとの食を支えました。

1. 末粉でんぷん 200g に、甘く煮ておいた前川金時の煮汁おたま２杯ほど（足りないときはぬるま湯で代用）を数回に分けて入れ、その都度ざっとかき混ぜる。

でんぷんが煮汁を吸ってコキコキ、ボロボロした状態に。

末粉でんぷん

ばたばた焼きにはこの末粉でんぷんが欠かせません。通常の片栗粉との違いは70～80℃の低温でじっくり乾燥させているためでんぷんの粒子が大きいこと。特徴は①粘り気とコシが強くもちもちしている。②揚げ物に使うとカラッと揚がるうえ油が汚れない。③中華のトロミづけに使うと水っぽくなりにくい。大量生産の時代になってから時間がかかる末粉製法のでんぷん工場は激減し、現在北海道では２箇所だけになってしまいました。ばたばた焼きは片栗粉でも代用できますが、もっちりした食感が楽しめる末粉でんぷんをおすすめします。

2. さらに甘い煮豆をおたまで山盛り１杯分と塩をふたつまみ加えてかき混ぜる。このとき水分が粉全体にゆきわたって、コキコキかたい状態になっていること。

3. 90℃以上の湯およそ50～70mlを一気に注ぎ、ヘラで手早くかき混ぜる。
湯の量は生地のかたさを見て調節する。
生地のかたさはヘラですくって落としたとき、ぽったりとかたちが残るくらいが目安。

4. ここで味見をして少ししょっぱいくらいに
なるよう塩を加える（豆の甘さが引き立つため）。

5. ホットプレート（なければよく熱したフライパン）に、
生地をおたまで直径10cm前後の丸いかたちにぽったり流し入れる。
※油はなるべくひかないほうがカリッと仕上がる。フライパンの場合は少量ひく。

6. まわりがうっすら透明になってきたらひっくり返す。
それより早く返すときれいにはがれないので注意。
両面が焼けたらできあがり。6～7枚つくれます。

冷めるとかたくなるので
時間をおかずに
熱々を召し上がれ！

ポイント

- 豆の甘煮のつくり方はP.26を参照。
煮豆をばたばた焼きに入れるときは、
粗熱を取って人肌に冷ました状態で使う。
- 煮汁はコクを出すために多めに入れる。
- 最初に煮汁やぬるま湯で米粉でんぷん
を湿らせてから、一気に湯を加える。

べにや長谷川商店のおすすめ　おかん料理

北海道では開拓当初、そば、じゃがいも、かぼちゃ、豆類が
荒地でも育ったことから、郷土食にはこれらを材料にしたものが多く残っています。
そして家族の多い農家では冬場、食べ物を確保するために知恵をしぼったようです。
それは台所を切り盛りするおかんの腕の見せ所でもあり、
ひもじい思いをさせたくないという家族への深い愛情でもありました。

じゃがいもまんじゅう

まんじゅうの生地がじゃがいもとはちょっと意外かもしれませんが、北海道のなつかしのおやつです。じゃがいもの皮をむき、煮るかふかすかしたのをマッシュして、そこに少量のでんぷんと水を加えて練っていきます。観光地でよく見かけるいも団子（でんぷん団子）よりもややややわらかく、なめらかな生地にするのがポイントです。小豆餡など豆の餡をその生地で包んで丸め、ふかしてできあがり。古い農家では自家用の餡はもったいない豆（2番豆）でつくることが多く、小豆餡のほか金時、いんげんなどいろいろな**もったいない豆の餡**をたくさんつくって冷凍保存しています。
中に入れる具材は甘い餡だけでなく、中華まんじゅうのように肉味噌、野菜炒めなどいろいろアレンジしてもよいでしょう。

青大豆は甘くしないでよく使われる豆です（枝豆でつくるぬた餅<ずんだ餅>など一部甘くする食べ方もあります）。かた茹でした青大豆を酢、砂糖、塩で味付けし、一晩置いてできあがり。青大豆を含めた大豆は昆布の含め煮、ふりかけなど**ご飯のおかずによく使われる**ことや、また味噌の原料としても必需品だったことから農家では自家用に毎年数俵（1俵60kg）つくっていました。
山形出身のおかんの家庭では鞍掛豆の数の子入りめんつゆ漬けはお正月のハレの日の食べ物として食卓を華やかに飾ったそうです。

青大豆のなます

いももち

北海道は今でこそお米がとれるようになりましたが、むかし、真っ白な米を毎日食べることが農家ではいちばんの贅沢でした。お正月用のお餅にはじまり、ぼた餅やぬた餅などお餅はお祝いや行事などハレの日の食卓によく登場しました。日常ではなかなか食べることができないお餅をなんとか日常でも食べられないものかという思いから、きっとこのいももちはつくられたのでしょう。でんぷん質の多いじゃがいも（むかしは紅まるという品種）を蒸すか茹でるかして、人肌くらいに冷ましたら**お餅を搗くようにひたすら搗き続け**、じゃがいものでんぷん質だけでモチモチ感を出していきます。それを丸めてエゴマの砂糖醤油をからめて食べます。時間が経つと水気が出てくるので長くは置けませんが、家族の多い家庭では奪い合うように食べたそうです。

干しかぼちゃ

かぼちゃのなかでもうらなりの普通に食べると水っぽくておいしくないかぼちゃをあえて使うのが特徴です。乾燥して水分が抜けるとかぼちゃの甘みが強まるうえ、水分と糖分のバランスがちょうどよくなり、干してはじめておいしくなります。今主流のぽくぽく系の甘くてでんぷん質の多いかぼちゃだと乾燥するとパサパサになるため、最近ではおいしい干しかぼちゃがつくれないといわれています。

つくり方は、かぼちゃを横半分に割って軒下に干し、少ししなっとさせてから**りんごの皮をむくように**かぼちゃをむいていきます。それを15cmくらいの長さに切り、蒸し器で蒸し、さらに天日干しにします。水分が抜け、程よく乾燥したらできあがり。これをストーブで炙ったり、天ぷらにして食べます。

牛乳豆腐

酪農家ならではのおかん料理です。**しぼりたての牛乳を鍋に**入れて火にかけ、沸騰する直前に酢を入れます。しばらく置くと水と脂肪（いわゆるチーズ）に分離するのでチーズをお皿に盛り、わさび醤油をかけておかずやおつまみとして食べます。一見豆腐のように見えるので牛乳豆腐という呼び名がつきました。牛がお産をして最初に出るお乳（初乳）でつくるのがいちばんおいしいといわれ、脂肪分の高い味の濃い牛乳豆腐ができます。ちなみに初乳はトロリとしていて酢を入れなくても固まるので、プリン型に入れて冷やして食べます。とてもなめらかで牛乳豆腐とはまた違う食感を楽しめます。固めるために入れる酢の量は、牛の体質によって牛乳の脂肪分が異なるため一律には決められず、**おかんの長年の勘に頼る**ことになります。

2008年3月23日に**米寿を迎えた服部ツルさん**からおそわった料理です。ビルマ豆は病気や冷害に強く、小豆がとれない凶作の年、小豆のかわりに食べた豆です。小豆は売り物で、もっと安いビルマ豆は自家用の食べ物だったそうです。ビルマ豆は小豆に近い食感があり、しかもホクホクしておいしい豆です。砂糖が高価な時代、ビルマ豆を煮てマッシュし、塩餡にしたものをそば粉で練った生地の中に入れて丸めて団子にし、ふかして食べました。そば粉100％だとすぐにかたくなるので、冷めたら**ストーブの上で焼いたり、油で揚げたり**して食べたそうです。またビルマ豆をご飯といっしょに炊いたビルマ豆ご飯もツルさんと同年代の農家の食卓にはよく登場しました。

ビルマ豆のそば団子

べにや長谷川商店にきく

在来種の豆について

自家採取ってなんですか？

つくった作物から種をとり、その種を翌年蒔いて作物をつくる。またその種から作物をつくる。このように種は購入せずに自前で種とりを行い栽培することをいいます。豆に限っていえば、在来種の豆の種の大半は種屋さんでは扱っていないので自家採取するしかありません。育成品種も自家採取が多いですが、２年に一度くらいは種を買って蒔いています。というのは、自家採取した種に病気がでたり、ほかの豆と交雑して別の品種になってしまうこともあるので、その心配のない種を買って品種の質を保っているからです。こう考えると種を絶やさずにつくり続けてきた在来種の豆農家は優れた種とり技術をもっているといえそうです。

在来種の豆は安全ですか？

在来種の豆は販売目的でなく、自家用として食べられてきたものなので、結果、安全であるとおよそ推測されますが、一定の生産基準があるわけではないので、在来種の豆＝安全かというと必ずしもそうとはいえません。在来種、育成品種ともに当店では農家ごとに作付け管理表をつくって、除草剤は使わないことをお願いしています。一部、特別栽培の豆は分けて管理し、化学肥料を使っていることをお知らせして販売しています。

在来種の豆はどこで買うことができますか？

地方では道の駅、産直ショップ、JAや農家の直売所などで見かけることが多いですが、在来種の豆のつくり手が減少していることから必ず置いているとは限りません。当店の在来種の豆については巻末の取り扱い店をご参照ください。常備していなかったり、在庫切れの場合もあるのでお店に確認してから買いに行くことをおすすめします。

在来種の豆はいつも店頭に並んでいるとは限りません。なぜですか？

在来種の豆はつる性の品種だったり、コンバイン収穫に対応できず手間がかかるためつくり手が減ったという背景があります。また在来種の豆は農家（おもに女性）が自家用の畑に少量つくっていたのが本来の姿なのですが、販売用にするには、ある程度の面積が必要になります。もともと少ない品種を大きな面積で作付けする北海道の農業のやり方に手間のかかる少量多品種の在来種の作付けはそぐわないというのもあります。そのうえ、在来種の豆は、成長にばらつきがあり、収量が少なく、大きさ、かたちが均一ではありません。そのため安定供給が難しい。こうした事情から種の確保を最優先課題として、今までつくってきた農家の女性に声をかけ、１畝からの作付けをお願いするとともにあらたな在来種農家獲得に奔走しています。

豆以外にも在来種はあるのですか？

八列とうきび

北海道では八列とうきび、札幌大球（キャベツ）、札幌黄（玉ねぎ）、まさかりかぼちゃなどが挙げられます。八列とうきびは、むかしは「札幌八行」とも呼ばれていました。実が八列あるのでこの名前がつきました。今主流のやわらかくて甘いスイートコーンに比べて見た目はワイルドで無骨ですが、焼きとうきびにすると香ばしくて歯ごたえがあってとてもおいしいとうもろこしです。また、この八列とうきびを乾燥させて粉にしたのをおかゆに入れて食べたそうです。とうきびがゆという北海道の郷土食です。「ドン菓子」といって乾燥させた実のいわゆるポップコーンも八列とうきびからつくられた時代もありました。ただ収穫後２日で実がかたくなってしまうので、野菜として食べるには賞味期限が短いのが難点です。札幌大球は１個平均４～５kg、大きいものだと 20kg にもなるという巨大なキャベツです。10 月下旬の漬物シーズンになると、身欠きにしんや酒粕やザラメ、漬物樽など漬物キットといっしょにこの札幌大球は、スーパーの一角を陣取ります。肉厚の葉と独特の旨みと甘みが特徴で、北国の豪快な漬物には味、量ともにぴったりのキャベツです。まさかりかぼちゃは、「まさかりでないと割れないくらいかたい」ことからこの名前がつきました。ホクホクした食感とかぼちゃ本来のやさしい甘みが特徴です。札幌黄は味が濃く甘みも辛みも強い玉ねぎですが、加熱することで濃厚な甘みが引き出されるため煮込み料理や揚げ物に向いています。シチューやカレー、オニオンスープ、オニオンリングにはぴったりです。これら在来種はどれも豆同様、栽培上の手間やかたちが不揃いなどの理由で、おいしいにもかかわらず、つくり手のみならず生産量も激減している希少品種になってしまいました。

札幌大球

写真提供：北海道北石狩農業協同組合

他の地方で有名な在来種の豆はありますか？

いんげんでは、幅広インゲン（群馬）、在来インゲン（群馬）、穂高いんげん（長野）、桑の木豆（岐阜）、七月十日豆（山口）、錦インゲン（愛媛）、やらず豆（福岡）。枝豆では、青ばた（宮城）、円蔵豆（宮城）、遠四軒豆（宮城）、ダダチャマメ（山形）、五葉マメ（福島）、においマメ（福島）、あけぼの大豆（山梨）、黒埼茶豆（新潟）、いうなよ（新潟）、肴豆（新潟）、刈羽豆（新潟）、越後娘（新潟）、一人娘（新潟）、丹波黒大豆（兵庫）。ささげでは、黒種十六ササゲ（愛知）、柊野ササゲ（京都）（『都道府県別　地方野菜大全』＜農文協＞参照）。これらは、在来種のごくごく一部で野菜として食べるものだけを挙げています。また日本は大豆圏ゆえ大豆の種類がたいへん多く、数万種ほどあるといわれています。少し挙げてみましょう。千葉の小糸在来®、山形の紅大豆、秘伝豆、黒神、秋田のサトウイラズ、神奈川の津久井在来などがあります。こうした希少品種の豆を守ろうと有志が集まり、豆腐や納豆、味噌など加工品販売をスタートさせて販路拡大に尽力しています。

在来種の豆を家庭菜園で育てることはできますか？

yes。在来種の豆は種でもあるのでつくることは可能です。ただ、在来種の豆はその地域の気候風土に適応して生育してきたため、別の地域では育たない場合もあります。ただし固定種になるには数年かかるので、最初は育たなくても根気強く種を選抜してつくり続ければ、しだいにその土地に合った在来種ができてくるでしょう。北海道の在来種はもともと入植者が持ち込んだ種によってつくられたものなので、土地が変わればまた別の在来種ができるはずです。当店で扱っている小冊子『豆ものがたり』には種が付属しているのでご興味のあるかたはお試しください。育てるときのポイントは肥料をやりすぎないこと。豆は肥料をやらなくても育ちます。逆にやりすぎると葉にばかり栄養がゆき、肝心の実にゆきわたらず未熟豆になる傾向があります。また肥料の窒素成分が虫を寄せ付けたりしますので栄養過多にならないよう注意してください。

家庭菜園のためにつくられた手竹

在来種の豆がなくなってしまうことはあるのですか？

yes。すでに多くの在来種の豆がなくなっています。そして現在ある在来種も消滅の危機に瀕しています。農家に手間のかかる作付けをお願いするには、ある程度販路の確保が必要です。買って食べていただく人をまず増やすことが、在来種存続のためにいちばん有効な方法と考えているので、定期的に在来種の豆をお買い求めくださるかたを募集したり、在来種の豆畑のオーナー制といって一口5000円からの畑のオーナーになって、畑の作業を農家に代行してもらい、できた豆をオーナーが受け取る制度をつくり、農家の安定収入と在来種の豆の確保につとめています（詳細は当店のホームページをご参照ください）。

べにや長谷川商店のお豆　取り扱い店

お取り扱いの種類、時期など
詳細は直接お店にお問い合わせください。

○十勝正直村 村のまーけっと　新札幌店
北海道札幌市厚別区厚別中央 2-5-7-2
サンピアザセンターモール B1
tel:011-890-2283

○伊勢丹　新宿本店
東京都新宿区新宿 3-14-1
tel:03-3352-1111

○ゆとりの空間　横浜ベイクォーター店
神奈川県横浜市神奈川区金港町 1-10
横浜ベイクォーター 3F
tel:045-450-7197

○F & F　自由が丘店
東京都目黒区自由が丘 1-31-11
tel:03-5731-5966
※（F&F 各店取り扱い有り）

○ポランオーガニックフーズデリバリ
POD-KIVA　青梅本店
https://www.e-pod.jp/
東京都青梅市河辺町 10-3-11
tel:0428-24-6089
※（POD-KIVA 各店取り扱い有り）

○有限会社 Boot
東京都羽村市五ノ神 4-2-21　1F
tel:042-555-4440

○有限会社 あひるの家
東京都国立市東 1-15-44
tel:042-575-8382

○有限会社 てくてく
長野県飯田市高羽町 3-4-6
tel:0265-53-5980

○マザーズ　藤が丘店
http://www.mothers-net.co.jp
神奈川県横浜市青葉区藤が丘 2-5
tel: 0120-935-034
※（小学館すずらん通り店取り扱い有り）

○ナチュラル・ハーモニー　下馬本店
http://www.naturalharmony.co.jp
東京都世田谷区下馬 6-15-11
tel:03-3418-3518
※（ナチュラル・ハーモニー各店取り扱い有り）

○マクロビオティック マルシェ　恵比寿店
東京都渋谷区恵比寿 4-24-5
恵比寿パークテラス 1F
tel:03-5475-6386

○こだわり市場　ISP 店
http://www.kodawariichiba.com
東京都豊島区南池袋 1-29-1
池袋ショッピングパーク B1
tel:03-3980-7428

○つぶつぶショップ
http://www.team-e.jp
東京都新宿区弁天町 143-5
tel:03-3203-2093

○カフェ ソワ
http://sowablog.blog31.fc2.com
神奈川県横浜市青葉区美しが丘 5-1-5-110
tel:045-904-1286

○３６４（サンロクヨン）
http://www.sanrokuyon.com
東京都杉並区西荻北 3-13-16
tel:03-5856-8065

○自然食店 ころ
東京都杉並区上荻 1-24-21 協立第 51 ビル 1 F
tel:03-3392-5911

○アースキッチン
東京都大田区上池台 1-32-7
tel:03-6425-9991

○日本クラシア・フードサプライ
http://kenkoutuuhan.com
岡山県倉敷市西中新田 619-6
tel:086-430-0280（通販）

○にんじん CLUB
http://www.ninjinclub.co.jp
愛知県小牧市中央 2-246
tel:0568-72-8500（宅配）

○くるみの木 カージュ
http://www.kuruminoki.co.jp
奈良県奈良市法蓮町 567-1
tel:0742-20-1480

べにや長谷川商店の お豆料理が食べられるレストラン、カフェその他

○ NOMRANO AGRA（ノムラーノ アグラ）
http://www.nomrano.com
北海道札幌市中央区南 6 条東 1-2
tel:011-533-4147

○ カンティネッタ サリュ
http://www.m-salus.com
北海道札幌市中央区南 3 条西 3 -2-2
tel:011-222-9003

○ イルピーノ
http://homepage2.nifty.com/ilpino/
北海道札幌市中央区北 1 条西 3 -3-25
荒巻時計台前ビル B
tel:011-280-7557

○ 大地を守る会 カフェ ツチオーネ　自由が丘店
http://www.daichi.or.jp/cafeblog/
東京都世田谷区奥沢 6-25-10
グリーンフォード自由が丘 1F
tel:03-5706-0707

○ カフェ マメヒコ　渋谷店
http://www.mamehico.com/mame-hico/
東京都渋谷区宇田川町 37-11 大久保ビル
tel:03-6427-0745

○ ブラウンライスカフェ
http://www.brown.co.jp/cafe/index.html
東京都渋谷区神宮前 5-1-17 グリーンビル 1 F
tel:03-5778-5416

○ MOMINOKI HOUSE
http://www2.odn.ne.jp/mominoki_house/
東京都渋谷区神宮前 2-18-5
tel:03-3405-9144

○ café たねの隣り　隣りの売店
http://www13.ocn.ne.jp/~tane8667/
福岡県うきは市浮羽町流川 333-1
tel:0943-77-8667

○ 今昔庵（こんじゃくあん）
http://www.konjaku-k.co.jp
大阪府岸和田市土生町 2-32-6 トークタウン 1F
tel:072-438-4088

○ ティア　熊本本店
熊本県熊本市本山町 143-4
tel:096-363-8081（購入可）

○ パン酵房 fu-sora
http://www.fu-sora.com
北海道紋別郡遠軽町白滝上支湧別 511-1
tel:0158-49-6058

staff
撮影… 広瀬貴子
（カバー、P.11 〜 P.29、P.32 〜 P.46、
P.50 〜 P.109、P.112 〜 P.146）
スタイリング… 中里真理子
ブックデザイン… 鈴木みのり
企画・構成… エルマーグラフィックス
DTP… 山浦理絵
イラスト・描き文字… 佐々木幸
編集… 登石木綿子

料理アシスタント… 杉本有利子、宮寺博美
レシピ協力… 秋山由香里、伊藤美由紀、
佐々木幸、辻本宜子

撮影協力… マザーズ　藤が丘店
（2階では「マザーズマクロビオス塾」として、さまざまなイベント、講座を企画・運営しています。問い合わせ先はP.159参照）。

べにや長谷川商店の豆料理

発行日　2009年8月14日 第1刷
　　　　2025年4月18日 第12刷
著者　　べにや長谷川商店
発行人　小林大介
編集　　堀江由美
発行所　株式会社パルコ
　　　　東京都渋谷区宇田川町15-1
　　　　https://publishing.parco.jp
印刷・製本　大日本印刷株式会社

ISBN978-4-89194-806-1 C2077

免責事項
本書のレシピについては、万全を期しておりますが、万が一、やけどやけが、機器の破損・損害などが生じた場合でも、著者および発行所は一切の責任を負いません。